劇場版 HUNTER×HUNTER

緋色の幻影《ファントム・ルージュ》

JUMP j BOOKS

CONTENTS

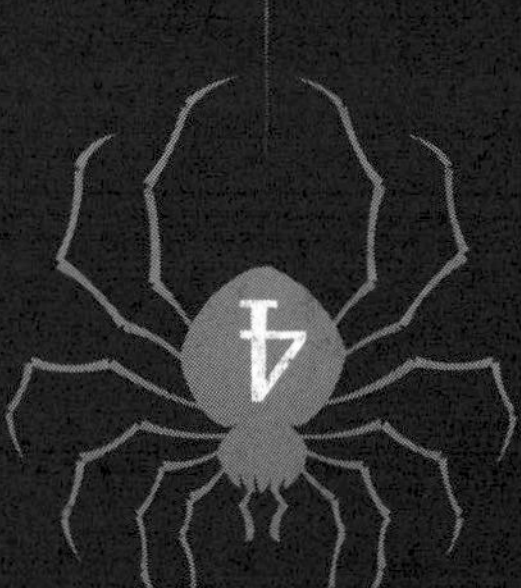

HUNTER
PROFILE
ヒソカ
幻影旅団でNo.4の
番号を持っていた奇術師。
強い者と戦うことが
生き甲斐。
レオリオ
ゴンたちの仲間。
医者を目指す、まっすぐな
心を持つ青年。
クラピカ
クルタ族出身。ハンター
試験でゴンたちと出会う。
幻影旅団への復讐を
誓っている。
キルア・ゾルディック
暗殺者の一家で育った少年。
ゴンとハンター試験を通して
友人となった。
ゴン・フリークス
物語の主人公。
幼い頃に別れた父のような、
偉大なハンターを目指す少年。

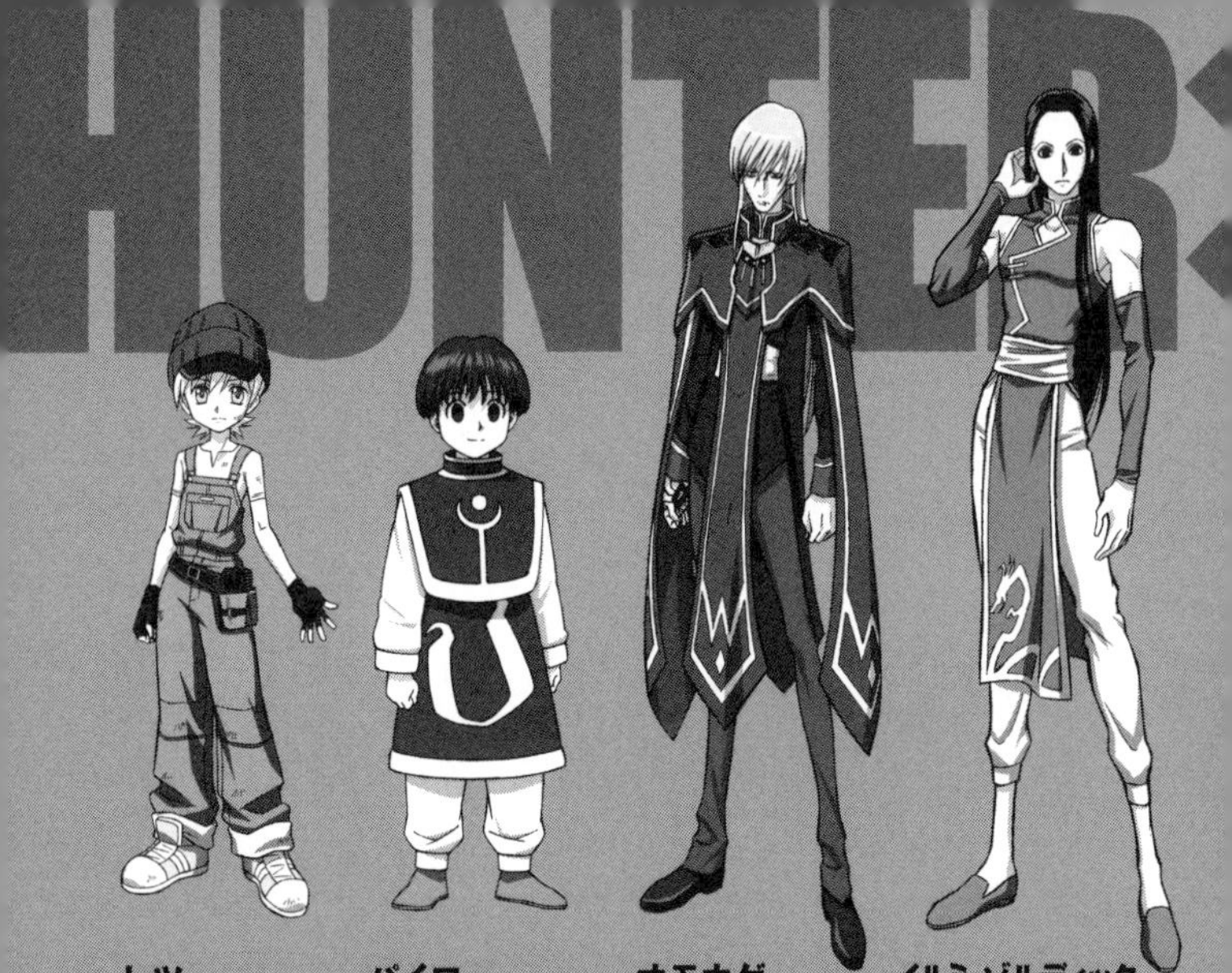

レツ

ゴンたちと出会った人形師。何か秘密を抱えているようだ…。

パイロ

クラピカの親友。しかし、クルタ族は幻影旅団によって全滅した。

オモカゲ

元・幻影旅団の男。ヒソカと入れ替わりに旅団から脱退した。

イルミ・ゾルディック

キルアの兄であり、弟を一流の暗殺者にしようとしている。

幻影旅団

団長を蜘蛛の頭、団員を12本の蜘蛛の脚に見立てた13人で構成される。
旅団に近しい者や詳しい者達からは「蜘蛛《クモ》」と呼ばれている。
活動は主に盗みと殺しで、危険度Aクラスの賞金首の集団であり、
熟練ハンターですら迂闊に手が出せない。

「劇場版　HUNTER×HUNTER　緋色の幻影《ファントム・ルージュ》」

原作：POT（冨樫義博）「HUNTER×HUNTER」
（集英社「週刊少年ジャンプ」連載）

監督：佐藤雄三

脚本：米村正二

メインキャラクターデザイン：吉松孝博

製作：日本テレビ放送網　集英社　バップ　東宝
マッドハウス　KDDI／日本テレビ系全国28社

配給：東宝

プロローグ

恵み豊かな美しい森と、百二十八人の同胞《どうほう》。

幼《おさな》い頃、『森の外に出てはならない』という里の掟《おきて》に支配されていたクラピカにとっては、それが世界のすべてだった。

――コーフンすると目が赤くなるのって、ボクたちクルタ族だけなんだって。

――外の世界の人は自分たちと違う人をサベツしたりイジメたりするって。だから秘密を守れる〝大人〟しか外に行けないんだって。

かつて森にいたころ、一人の親友が、クラピカにそう語った。

実際、同胞の誰ひとりとしてその掟を破ろうとしなかったし、複雑怪奇《かいき》な森の中に、外から人が来ることもほとんどなかった。

外界から完全に孤立《こりつ》した、クルタ族の聖域《せいいき》。

見知った人間だけの小さな世界。

幼かったクラピカとその親友にとっては、森だけがすべてであり、そこで生きることに何の疑いを持つこともなかったのだ。

二人が外の世界に興味を持つようになったきっかけは、一冊の冒険小説。

迷いこんできた旅人からもらった一冊の本、『D《ディノ》・ハンター』である。

ハンターという職業の主人公が、秘宝《ひほう》や遺跡、未知の生物を求め、世界中を駆けめぐる冒険譚《ぼうけんたん》。深い海の底や太古《たいこ》の洞窟《どうくつ》、奇妙な植物に覆《おお》われた山々……ハンターの舞台に制限はない。ときには、巨大な怪物や恐ろしい罠《わな》が彼を襲《おそ》うこともあった。

決して森の中では味わうことのできない冒険に、幼い二人はすぐに虜《とりこ》になったのである。

擦《す》りきれるまで読み返したその本のおかげで、クラピカは外の世界に、そしてハンターという気高《けだか》い職業に夢を抱くようになったのだ。

——ボクたちもあんな冒険をしたかったから……外の世界をおもいっきり楽しみたかったからだよね？

旅立ちの日の朝の、親友の言葉が脳裏《のうり》によみがえる。

彼はいつでも、そばでクラピカを支えてくれていた。

崖《がけ》から落ちたクラピカを、自分の視力と足を犠牲《ぎせい》にしてまで救ってくれた。

里の外に出るための外出試験に、相棒《あいぼう》としてつき合ってくれた。

試験の最中、チンピラ相手に激昂《げっこう》するクラピカをなだめようと、土下座《どげざ》までしてくれた。

機転をきかせて長老《ジイサマ》を出しぬき、本当は落ちていたはずのクラピカを試験に合格させてくれた。

彼がいなければ、クラピカは外の世界に出ることはおろか、そもそも今、生きてさえいないだろう。

だからクラピカは約束したのだ。

〝必ず外の世界で、お前の目と足を治すことのできる医者を見つけて来る〟と。

——クラピカもボクと約束して。クラピカが戻ってきたら、ボクが一つだけ質問する。

〝楽しかった？〟——ってボクが聞くから、心の底から〝うん〟って答えられるような、そんな旅にしてきてね!!


今までクラピカは、かたときも彼のことを忘れたことはなかった。

別れぎわに手を振る笑顔を。

いつかきっと、一緒に冒険の旅に出ようと誓《ちか》った、あの日の想いを。


『我々は何ものも拒《こば》まない。だから我々から何も奪うな』

そんなメッセージとともに、同胞たちが悪逆非道《あくぎゃくひどう》な方法で無残《むざん》に虐殺《ぎゃくさつ》されようとも。

彼との再会の約束が、永遠にかなわないものになったとしても。

だからこそ、クラピカには信じられなかったのだ。

今、自分の目の前で起きているこの事態が、現実のものであるとは。


「ひどいよね……こんなの……」

少年の声が耳に響き、大粒の雨がクラピカの頬《ほお》を濡《ぬ》らす。

光を失ったその瞳《ひとみ》には、もはや闇《やみ》しか映るものはなく。

傷つき、泥水《どろみず》の中に倒れた身体《からだ》は、雨ざらしのまま一ミリも動いてくれようとはしなかった。

「今、楽にしてあげる。……でも、これだけは信じて。クラピカはボクのいちばんの友達だよ」

——絶対に信じない。

あいつが……パイロが、私の命を奪おうと、手にした剣を振りあげているだなんて。

第1章

「――まもなく、シャンハシティ空港へと到着いたします。機内に揺れが生じる場合がございますので、お客様は必ずシートベルトをお締めください――」

飛行船の客席に座る眼光鋭い少年――キルアは、アナウンスを聞きながら、ぼんやりと窓の外に目を向けていた。

白い雲の切れ間から、森に覆《おお》われた小さい島々が見えてきた。アナウンスどおり、どうやらもうじき目的地に着くようだ。

――それにしても『クラピカがヤバい』ってのは、どういう意味だろうな。

ヨークシンで別れたレオリオから、ゴンとキルアに連絡があったのはつい昨日のことだ。とにかく『クラピカがヤバい』『病院に来てくれ』などというレオリオのあわてた声を聞いて、彼らのいるシャンハシティに向かって移動中なのである。

――まさか、敵に襲《おそ》われたとか……？

少し前に、そのクラピカやレオリオたちと、強大な敵を相手に命がけの危難《きなん》に巻きこまれたばかりなのである。警戒《けいかい》してしすぎるということはないだろう。

ふと見渡せば、座席で本を読む旅行客や、機内食のトレーの回収に忙しく動きまわる客室乗務員《キャビンアテンダント》たちの姿が目に入る。とりあえず、今自分たちの周りに危機はなさそうだ。

幼《おさな》い頃から癖《くせ》になってしまっている周囲への警戒を解《と》き、キルアはふう、とため息をついた。


かつて自分は殺し屋だった。

傍目《はため》にはただの生意気《なまいき》な子供にしか見えないだろうが、実は、暗殺一家《ゾルディック家》の英才教育を叩《たた》きこまれたスペシャリスト。幼少時から数多くの殺し《しごと》をこなし、一族の期待を一身に背負ったプロの暗殺者なのだ。

――ま、昔の話だけど。

今の自分は、そんな日陰《ひかげ》の道からはすっぱり足を洗えた、と思う。

こうしてわざわざ飛行船に乗って仲間のピンチに駆けつけるくらいだ。我《われ》ながら、ずいぶん丸くなったものだ。

――それも、こいつのおかげだよな。

自分をそういうふうに変えてくれた少年を、ちらりと見やる。

「……ZZZ」

向かいの座席で大口を開けて寝ている、黒髪のツンツン頭の少年。同い歳《どし》。身長も同じくらい。ハンター試験で会って以来、ずっと自分と一緒にいてくれる親友だ。

そのあどけない表情を見ていると、キルアは何となくホッとした気持ちになる。

——ゴン。初めてできた友達。そして、たいせつな仲間。

かつて自分に暗殺の技術を叩きこんでくれた兄《イルミ》には、友達を作ることを幾度《いくど》となく否定されていた。曰《いわ》く、友達なんて必要ない、そんなものを作れば裏切られるだけだ、と。

——でも、ゴンは絶対にオレを裏切ったりしない……。

ゴンとこうして再び旅に出る前、親父《シルバ》と血の宣誓《せんせい》をしたことを思い出す。

〝絶対に仲間を裏切るな〟。

「オレも、絶対にゴンを裏切らない……！」

キルアは、友達の寝顔をじっと見つめながらつぶやいた。

するとそんなつぶやきがゴンにも聞こえたのか、

「ん……？」

ゴンは眠そうな目をこすりながら、口を開いた。

「キルア、どうかしたの？」

「え？　何が？」

「オレの顔を見てただろ」

「見てねえよ」

照《て》れくさいので、キルアは窓ぎわのほうにそっぽを向いた。しかしゴンはそれでもなお、キルアをいぶかしむように見つめる。

「嘘《うそ》」

「嘘じゃねえって」

「な〜んか怪《あや》しいな〜」

しつこいゴンに少しムッとして、キルアは言いがかりをつけてみた。

「お前、いびきかいてたぞ」

「え⁉　いびき⁉」

少し驚いたゴンだったが、すぐにそれがキルアの嘘だと気づいたようで、

「キルアだって歯ぎしりしてたよ！　歯ぎしり！」

などと言い返す。

そんなふうにぎゃあぎゃあ騒いでいると、客室乗務員《キャビンアテンダント》が近づいてくる。

「お客様。周りの方のご迷惑になりますので、お静かにお願いします……」

よほどうるさかったのだろう。彼女に思いきりにらみつけられ、キルアとゴンは黙りこ

むしかなかった。

※

「やっと着いた〜！」

　フライトを終え、ゴンが背伸びをする。

　シャンハシティ空港。飛行船のタラップから見渡す風景は、ヨークシンシティのような大都市に比べると自然が多く、どこか牧歌的《ぼっかてき》な雰囲気《ふんいき》だった。少し蒸《む》し暑いのは、ここが南の国だからだろう。

「けっこう時間かかったな」

「じゃ、レオリオから聞いた病院を探そうよ」

　レオリオの連絡では、クラピカは市内の病院に担《かつ》ぎこまれているらしい。

　まずは病院を探そうとキルアが携帯電話《ビートル》のマップ機能を使おうとしていたところ、彼らの耳に聞き慣れた声が飛びこんできた。

「お〜い！　ゴン！　キルア〜！」

　スーツ姿にサングラスの長身の青年が、ロビーの向こうで右手を上げている。空港まで自分たちを迎えに来てくれたのだろう。

「レオリオ！」

彼は、よっ、といつもの調子で言った。

※

ろくに舗装《ほそう》もされていない田舎道《いなかみち》を、一台のおんぼろタクシーが走っていた。彼らがめざす目的地は、クラピカが入院しているシャンハシティ市内の病院。でこぼこ道に車体がガタガタ揺れていたが、運転手にとっては幸いなことに、乗客の関心はそんなところにはなかった。

「お前らを呼んだのはほかでもねえ。奪われたクラピカの眼《め》を取り返す手助けをしてほしいんだよ」

助手席のレオリオの言葉に、後部座席のゴンとキルアが目を見開いて驚く。

「眼が奪われた？」

「どういうことなの、レオリオ？」

二人の疑問に頭を抱えつつ、レオリオが応《こた》えた。

「いや、実は目の前で見ていたオレにもよくわからねえんだが、変な少年《ガキ》がクラピカに向かい合った瞬間、クラピカの眼がえぐり取られるように吸いこまれたんだよ……。ありゃ、何かの念《ネン》能力かもしれねえ」

念《ネン》についてはお前らのほうが詳《くわ》しいからな、とレオリオ。

「ガキって？　どんなヤツ？」

「それがどうもな……クラピカが言うには、クルタ族の生き残りらしいんだ」

「えっ！　クルタ族の生き残り!?」

再び、ゴンは驚きの声を上げる。

クルタ族の生き残りが、クラピカ以外にもいたということなのだろうか。

「ああ、もともとこの町で、クルタ族を見かけた奴《やつ》がいるって噂《うわさ》があってよ」

「でもクルタ族は確か……」

クルタ族は五年ほど前に、A級賞金首《ブラックリスト》の盗賊《とうぞく》、幻影旅団《げんえいりょだん》によって皆殺しにされたはずだった。一族最後の生き残り――クラピカを除いて。

その幻影旅団を相手に、ヨークシンで彼らを追うクラピカと共闘したことは、ゴンやキルアにとっても記憶に新しい。

「だからよ、ガセの可能性はじゅうぶんあったんだが、一応クラピカに伝えたら仕事休んで確かめに行くって言うから、オレもついてったんだ」

同行するのがさも当然のように言うレオリオに、キルアが疑問を挟《はさ》んだ。

「なんでレオリオも一緒に？」

「お前らも知ってるだろ。あいつはクルタ族のことになると危なっかしいところがある。オレみたいなしっかり者がそばについててやらねえと」

しかめっ面《つら》を浮かべるレオリオ。

「レオリオって友達思いなんだね」

「よ、よせよ、こっ恥《ぱ》ずかしい」

ゴンの台詞《せりふ》に赤面しつつ、レオリオはこほん、と咳《せき》ばらいをして話を続けた。

「ともかく……それらしき奴がいるって場所に行ってはみたものの、なかなか見つからなくてよ……」

※

レオリオの情報を受け取り、クラピカがここ、シャンハシティに到着したのは三日前のことだった。

町並みや道路は石造《いしづく》り、歩く人もそれほど多くはない、のどかな田舎町である。

クルタ族の生き残りが目撃されたという地点を中心に、クラピカとレオリオはさっそく調査を開始。しかし町はずれの寂《さび》れた通りを歩きながら、付近の住民に聞きこみをして丸一日あまり、有力な手がかりは一向につかめなかった。

「クラピカ、そろそろ諦《あきら》めようぜ。雲行きも怪しくなってきたしよ」

暗くなってきた空を眺《なが》めるレオリオ。

聞きこみを続けているうちに、空にはしだいに雨雲が広がってきていた。遠くに雷《かみなり》の音も聞こえる。このぶんだと、数刻《すうこく》もしないうちに天気は崩《くず》れるだろう。

「やっぱガセだったんだよ。だいたい、〝クルタ族を見た〟って情報自体《ソース》が、ホームコードに吹きこまれた匿名《とくめい》のネタだったわけだしな。こんな出所不明《しゅっしょふめい》のネタを信じたオレたちのほうが間違ってたんだ」

不特定多数のハンターのホームコードに、同じ内容のタレコミがあったのだ。もしかすると、いたずらという可能性もある。

そう言うレオリオに、クラピカは首を振って応えた。

「私はもう少し聞きこみを続ける。レオリオは先に宿に戻っていてくれ」

ため息をつくレオリオを尻目《しりめ》に、クラピカはそっけなく一人で歩きだした。

確かにガセである可能性は高いが、もう二度と会えないと思っていたはずの同胞《クルタ族》の情報なのだ。ならば、納得いくまで、とことん探す必要があるだろう。

「はいはいわかりましたよ。お前がこのていどで諦めるわけねえもんな」

レオリオも、やれやれといった調子でクラピカのあとに続き、通りを歩く。

そのときだ。

「何か聞こえてこねえか？」

二人に耳に聞こえてきたのは、楽器の音。少し変わってはいるが、どこか懐《なつ》かしい音色《ねいろ》だ。ギターに比べるとやや低い、弦楽器《げんがっき》の音である。

——この楽器、まさかクルタ族の……！

その不思議な音色にはっとして、クラピカは道の向こうに目を向ける。どうやら路地《ろじ》の奥、建物の間のほうから響いてくるようだった。

「間違いない……この曲は……！」

聞く者に安心感を与えるような、ゆったりと落ち着いていて、とても優しい旋律《せんりつ》。

それはクラピカが幼い頃、よく耳にしたクルタ族の民族音楽だった。

「おい、クラピカ⁉　どこ行くんだ！」

レオリオの制止の声も聞かず、クラピカは音のするほうへと走りだした。路地に入り、うす暗く狭い道を全力で駆けぬける。

——弾《ひ》いているのが同胞《どうほう》だとすれば、私が近くにいることに気づいたのか……⁉

聞こえてくる曲は、親友がよく弾いてくれたものだった。同胞でなければ気づかない音色を奏《かな》でることによって、こちらにメッセージを送っているに違いない。

まるで音色が引き寄せているかのように、クラピカは路地を急いだ。

「なんなんだよ、クラピカ！　説明くらいしろって、おい！」

レオリオが背後から息せききって追ってくるが、今は説明している時間も惜《お》しい。

もう二度と会えないと思っていたはずの同胞が、この先にいるかもしれないのだから。

「あれは……!?」

路地裏《ろじうら》を抜けると、少し開けた場所に出た。建物に囲まれた、小さな広場のような場所だった。付近の子供の遊び場にでもなっているのかもしれない。

クラピカの視線の先には、広場中央の台座に腰かける一人の少年がいた。身にまとうのは、特殊な文様《もんよう》の入った装束《しょうぞく》。うす汚れてはいるが、その衣服は間違いなくクルタ族の民族衣装であった。

少年は目を閉じ、胸に抱いた木製の弦楽器《キタラ》を爪弾《つまび》いている。

クラピカは、その少年の顔を見てはっと息をのんだ。

柔《やわ》らかで人懐《ひとなつ》っこい面差《おもざ》し、つややかな髪の色。彼の姿が、クラピカの記憶の中にある少年にあまりにも似ていたからだった。

――クルタ族の生き残りというのは、お前のことだったのか……！

4
PHANTOM
ROUGE

何度も自分を助け、そしてその恩を返す暇《いとま》さえ与えてくれずに死んだ親友。クルタ族虐《ぎゃく》殺《さつ》のニュースを聞いて以降、あの日の約束をかなえられなかったことを、自分はどれほど後悔したかわからない。

今、自分が目にしているこの少年は、夢か幻《まぼろし》か。

それとも彼は奇跡的に、あの惨事《さんじ》を免《まぬが》れていたということなのだろうか。

涙で滲《にじ》んだクラピカの瞳《ひとみ》は、数年ぶりの親友の姿を直視することができなかった。

「パイロ……!?　お前、パイロなんだろ……!?」

クラピカの口から、親友の名前がこぼれる。

見間違えることなどあるはずがない。この少年は、パイロだ。

パイロが今、あの日里で別れたときと寸分《すんぶん》たがわぬ姿で、クラピカの前に現れたのである。

――もう二度と会えないと思っていたのに……！

思わず、クラピカは少年のほうへと駆けだしていた。

するとその足音に気づいたかのように、少年は楽器を弾く手を止めた。

「その声は……クラピカ？」

少年は目を閉じたまま立ち上がり、こちらにふらつきながら近づいてくる。かつて里で別れたときと変わらず、眼と足は不自由なようだった。

――その身体《からだ》で、よく今まで……！

感《かん》きわまって、クラピカは彼を抱きしめる。

「……パイロ！　お前！　生きていたのか⁉」

微笑《ほほえ》むパイロを見て、レオリオがいぶかしげに首をかしげた。

「なあクラピカ、誰だこいつ？」

「紹介しよう。彼は私の子供のころからの親友。パイロだ」

パイロはレオリオのほうに顔を向けると、ぺこり、と頭を下げる。

「へえ。じゃあ、こいつがクルタ族の――？」

クラピカがうなずくと、レオリオもまた笑みで応えた。

「良かったじゃねえか」

レオリオの言うとおり、死んだと思っていた同胞――それも親友のパイロと再会することができたのだ。クラピカにとってこれほど嬉《うれ》しいことはない。

あとは、医者を見つけてパイロの身体を治すという約束を果たすだけだ。パイロの身体さえ良くなれば、二人で一緒に世界を回るというあの日の夢もかなうのだから。

――身体……？

ふと、再会した親友の姿を見ているうちに、クラピカの心に一抹《いちまつ》の疑念が浮かんだ。

「パイロ……でもなぜ、五年前と同じ姿のまま……？」

そう、パイロの身体は、あの日自分を見送ってくれたときのまま、寸分《すんぶん》も変わっていないのだ。かつて自分と同じくらいだったパイロの身長は、今やずいぶんと小さく見える。

――成長が止まっている……？　そんなことが起こりうるのか……？

背だけではなく、髪や肌《はだ》の質感も、子供の頃そのままだ。

成長が止まっているというよりは、まるでそのままパイロの時間が止まってしまったかのような――。

不思議がるクラピカをよそに、少年はにこやかな笑みを浮かべる。

「そんなことより、もっとそばへ来てよ……クラピカの顔をよく見せて」

「見せて――？　だって、お前の眼は……」

クルタ族の瞳――〝緋《ひ》の目〟は、幻影旅団の襲撃《しゅうげき》を受けた際に一人残らずえぐり取られてしまったはずだ。仮にパイロが旅団の襲撃から逃れていたのだとしても、彼の眼は、幼い日に崖《がけ》から落ちた自分を助けたせいで、ほとんど視力を失っている。どちらにせよ、パイロが自分の顔を〝見る〟などということはありえないのだ。

「……おい、クラピカ。そいつから離れたほうがいい。なんか悪い予感がするぜ……」

レオリオもまた、この少年に疑念を感じているようだ。

——だが、これはどこからどう見てもパイロそのもの……。

とまどうクラピカの両肩を、パイロががっしりとつかんだ。

パイロはクラピカたちとは対照的に、柔らかな微笑みを浮かべている。

「今、その眼を見せてあげるね」

パイロが、ゆっくりと目を見開く。

「!?」

しかし、そこには、何もなかった。

パイロの眼窩《がんか》に広がるのは深遠《しんえん》なる闇《やみ》。

目のない穴が、顔にぽっかりと二つ開いているだけだった。

——どういうことだ？　やはり旅団《クモ》に眼を奪われたのか……？

稲光《いなびかり》が走り、雷鳴《らいめい》が轟《とどろ》いて、激しい雨が降りはじめる。

パイロはずぶ濡《ぬ》れになるのも厭《いと》わずに、その眼のない顔でクラピカをじっと見つめていた。

「ボクの眼は闇しか映さない。だから、クラピカの眼をもらえって」

土砂降《どしゃぶ》りの大雨にも、そして親友《クラピカ》の浮かべる疑わしそうな表情にも、このパイロという少年は顔色をいっさい変えない。

そばで見ていたレオリオも、この少年が何か得体《えたい》の知れない存在であることはうすうす感じていた。

「おい、お前、何言って——」

パイロの不穏《ふおん》な気配を感じ、二人の間に割って入ろうとしたレオリオ。しかし、その判断は一瞬遅かった。すでにパイロの漆黒《しっこく》の眼窩《がんか》から、クラピカの眼に向けて、見えない何かが放たれていたのである。

「〝魂呼《タマヨバ》ばい〟」

「うっ⁉　うわあああああああああ⁉」

念《ネン》のオーラ。クラピカの悲鳴が周囲にこだまする。

〝凝《ギョウ》〟を使えないレオリオにははっきりと見ることができなかったが、パイロの眼から放たれた漆黒に輝く糸のようなものが、クラピカの瞳に絡《から》みついたような気がした。パイロに両肩をつかまれているクラピカは、身動き一つできないようだ。

「ク、クラピカの眼が⁉」

レオリオには、目の前で起きていることが理解できなかった。

それは、信じられない現象。

少年の眼孔《がんこう》から放たれたオーラによって、クラピカの両の眼球が引っ張られるようにして持ち上がったのである。

クラピカの眼が、えぐり取られたのだ。

――な、なんなんだこりゃ……⁉

そのままクラピカの眼は、オーラに引き寄せられるように少年の眼窩へ。

気がついたときには、何もなかったはずのパイロの顔の二つの穴の中には、すっぽりとクラピカの眼が納まっていた。まるで、最初からそこにあるのが当然といった具合に――。

あまりにも常識を超えた事態に、レオリオはその場に立ちすくみ、茫然《ぼうぜん》と見ていることしかできなかったのである。

「う、ううう……」

両眼を奪われたクラピカが、がくり、と膝《ひざ》をついた。石畳《いしだたみ》に溜《た》まった雨水が、びしゃり、と音を立てる。

「クラピカ⁉」

まるで瞳とともに、生気《せいき》まで奪われてしまったようだった。

そんなクラピカを、無表情にパイロは見下ろす。今しがた奪った、クラピカの瞳で。

「てめえ！　なにしやがる⁉」

ようやく我に返ったレオリオが、右腕を振りかぶり、パイロに殴《なぐ》りかかった。

――こいつは、何かヤベエ……！

だがその拳《こぶし》は、相手まで届かない。

「げ……ぼぉッ⁉」

一瞬後、レオリオは吐き気とともに、鳩尾《みぞおち》に強烈な痛みを覚えた。パイロの両手にそれぞれ握られていた木剣《ぼっけん》――クラピカが持っていたのと同じ、柄《つか》の先が紐《ひも》で結ばれた二本で一対《いっつい》の木剣――が、いつの間にかレオリオの腹部に叩きこまれていたのである。

「あはは……ようやくクラピカの眼を手に入れた……。ずっと欲しがってたんだよ、あの人……」

少年のつぶやきが、倒れたレオリオの耳に遠く響いた。

※

「レオリオ⁉」

どさり、と近くで人の倒れる音が聞こえた。

眼を奪われたクラピカの視界に映るのは、今や闇だけ。気配《けはい》を頼りに、パイロのほうに向かって声を上げる。

「お前は本当にパイロなのか？　もしそうなら、なぜこんなことを……？」

「僕だって本当はこんなことしたくない……」

パイロの声は、どこか悲しげに聞こえた。

「でも……どうにもならないんだ」

「パイロ……？」

それはまるで、クラピカが幼い頃に聞いた、彼の悔《くや》し泣きにも似ていた。

「……ごめんね！」

そのとき、地面を蹴《け》る音。同時に、得物《えもの》を振りかぶる音が聞こえた。

「くっ⁉」

パイロの木剣が空気を切る音に合わせて、クラピカが姿勢を立てなおす。

——視覚が封じられた今、頼れるのは聴覚と気配のみ……！

とっさにクラピカもマントの下から同じ一対の木剣を取り出し、パイロの一撃を受けとめる。武器のぶつかり合う鈍《にぶ》い音が、雨にまじって周囲に響き渡った。

――この太刀筋《たちすじ》……。

それは、クラピカにはなじみぶかい軌道《きどう》。クルタ族に伝わる、伝統の武術である。

「クラピカと再会できたとき、足手まといになりたくなくて、必死にこの武術を覚えたんだ……。でも、こんな形で使わなきゃいけないなんて……！」

パイロは、両手に持った木剣でさらに連撃をくりだしてくる。

それは間違いなく、クルタ族特有の太刀筋である。クラピカが熟知している攻撃だったからこそ、眼を失った状態でもとっさに反応ができたのだった。

「お前……どうして……⁉」

しかしいかにクラピカといえども、視界を奪われながら必殺の連撃を受け止めつづけるのは困難であった。

防戦一方。やがてパイロの攻撃をしのぎきれなくなり、クラピカの身体には徐々《じょじょ》にダメージが蓄積《ちくせき》されていく。

「なぜ攻撃してこないの？　もしかして、ボクを傷つけたくないの――？」

――クラピカは優しいからね。

そんなパイロのつぶやきが聞こえた刹那《せつな》。

クラピカのガードをくぐり抜け、その胸元に、木剣の先端が叩きこまれた。

呼吸もできなくなるような、強烈な一撃だった。

「……くっ……パイ……ロ……！」

体勢を立てなおそうとしたが、もはや、姿勢を保つこともできない。両手に握った武器が手のひらからすべり落ち、そのまま道にあおむけに倒れた。

クラピカの頬《ほお》を、大粒の雨が打つ。

「ひどいよね……こんなの……」

強い雨の音に混《ま》じって、パイロの悲しげな声が聞こえた。だが、今のクラピカには言葉を返すことさえできない。

「今、楽にしてあげる。……でも、これだけは信じて……クラピカはボクのいちばんの友達だよ」

パイロはそう告げると、倒れたクラピカのほうへ一歩近づいた。

木剣を振りあげる気配がする。それで自分にとどめを刺すつもりなのだろう。

――どうして、パイロがこんなことを……？　オレにはもう、何もできないのか……!?

クラピカの頬を流れるのは、今や雨粒だけではなかった。

驚きと絶望の中で、クラピカの意識が途絶《とだ》えそうになるその瞬間。

「――させるかっての！」

力強い声とともに自分の身体が抱きかかえられ、地面を横に転がるのを感じた。

パイロの木剣が空《くう》を切り、どすっ、と地面に突き刺さる音が響く。

「……!?」

とどめの一撃がかわされ、驚きに息をのむパイロ。

「あばよ!」

耳元で聞こえたのは、レオリオの声だった。

彼はクラピカの身体を抱きあげると、そのまま雨の中を走りだした。自身も深手《ふかで》を負っていただろうに――。

「すま……ない……」

雨の中、友人に感謝の言葉を告げたところで、クラピカの意識は闇《やみ》に落ちた。

※

「それで、クラピカは!?」

レオリオ、キルアに続き、タクシーを降りるゴン。レオリオからパイロという少年との邂逅《かいこう》について聞いていているうちに、シャンハシティ中央部の病院へと到着していた。

傷を負ったクラピカが運びこまれたのはこの病院らしい。

町の病院といっても、平屋《ひらや》建《だ》てのそれほど大きくはない病院である。建物自体も何十年前に建てられたのかわからないほど古いし、壁や窓ガラスの一部にはヒビが入っている。虫が平気で壁を這《は》いずっているあたり、正直、衛生《えいせい》状態が良いとはお世辞《せじ》にも言えない。

「ご覧《らん》のとおり、このチンケな町にゃ、ろくな病院もろくな道具もなくてよ。どうにかオレが治療したんだが……」

レオリオが、ため息をつきながら病院の廊下を先導する。

廊下のつき当たり、建てつけの悪いドアを開けると、そこは三、四人程度の患者が収容可能な病室になっていた。質素《しっそ》なベッドがいくつか置かれていたが、一床《いっしょう》をのぞいて使われておらず、布団《ふとん》もシーツもとっぱらわれている。

唯一《ゆいいつ》使用されているベッドには、よく見知った顔があった。

「クラピカ!?」

ゴンがベッドに駆け寄る。

クラピカの顔には、両眼を覆うように包帯が巻かれ、身体中に、いくつもの治療の跡があった。パイロにやられた打撲痕《だぼくこん》だろう。特に、胸の部分は仰々《ぎょうぎょう》しいギプスで固定されているようだった。

「ゴン……か？」

ベッドの横に立つゴンのほうに、クラピカが少しだけ首を動かした。

「クラピカ、だいじょうぶか⁉」

レオリオ、キルアもクラピカに駆け寄る。

「レオリオ……。ん？　キルアもいるな」

ベッドから身を起こすクラピカ。

声にはまだ張りがなかったが、意識自体はしっかりとしているようだ。

「オレもいるって、よくわかったね」

キルアが驚いた表情でクラピカを見る。

「気配でだいたいわかる」

眼を奪われ、全身に怪我《けが》を負ってはいるが、クラピカの鋭敏《えいびん》な勘《かん》は衰《おとろ》えてはいないようだった。

「――レオリオ、わざわざ連れてきてもらってなんだが、やはりゴンやキルアを巻きこむのは……」

咎《とが》めるような口調で言うクラピカに、レオリオがため息まじりに応える。

「あのパイロって奴は念《ネン》能力者だろ。だったら、探すにしても味方は多いに越したことねえじゃねえか。それに――」

レオリオから目を向けられると、ゴンとキルアは明るい声でその先を続けた。

「オレたち、クラピカの仲間じゃん」

「そうそう。怪我人はおとなしく寝てなって。オレらで何とかするからさ」

ふっと一瞬笑みを浮かべるクラピカだったが、

「……気持ちは嬉しいのだが、これは私の問題だ」

深刻そうな表情でそう言うと、ベッドから降りようとした。

「ううっ！」とうめきつつ身体を動かすクラピカを、レオリオが押さえつける。

「無理すんな。骨は折れてねえが全身ひでえ打撲だ。ヒビも入ってる」

「しかし、今行かねば――！」

なおもベッドを離れようとするクラピカを見て、レオリオがため息をついた。

「パイロって奴ならどうせもう近くにはいやしねえよ。ありゃ最初からお前の眼が目的だったんだ」

あのときのヤツの言動からして、クラピカの〝緋の目〟を奪った時点で、パイロの目的は達成《たっせい》されていたのだろう。そうでなければ、彼が満身創痍《まんしんそうい》のレオリオとクラピカをやすやすと見のがすはずはない――。断言するようにレオリオは言った。

「……私は信じてはいない。あいつが、本当のパイロだなんて……」

「でもさ。ほんのわずかだけど、心が揺らいだんだろ」

うつむくクラピカの内心を見すかすようにキルアが言った。

「なに……？」

クラピカが眉《まゆ》をひそめてキルアのほうを向く。

「――じゃなきゃ、クラピカがやられるわけがない」

いかに不意討ちを受けようとも、クラピカはプロハンターだ。それも、幻影旅団とも互《ご》角《かく》以上に戦える念《ネン》能力者である。もしクラピカがおくれを取るとすれば、そこには精神的な動揺があったから――。そのパイロという少年を、クラピカが本物の同胞だと認識してしまったからにほかならない。

キルアの言葉にゴンもうなずいた。

「それは……認めざるをえんな。あいつは、見た目も声も匂《にお》いさえも、パイロそのものだった。もしかすると本当に、あの惨劇《さんげき》を逃れて――」

「違《ちげ》えよ！」

突然、レオリオが声を上げた。

「パイロってのがお前の友達なら、こんなひでえことするわけねえだろ！」

「レオリオ……」

かつて親友を病気で亡くしているレオリオは、誰よりも友情のたいせつさを知っている。だからこそこれほど強く、彼は激昂《げっこう》しているのだ。

そんなレオリオの優しさが心を打ったのか、

「そうだな……。私もそう信じたい」

クラピカは、ふっと、柔らかい笑みを浮かべた。

「ねえ、パイロのこと、もっと教えてくんない？」

「クラピカと同じクルタ族なんだろ？」

ゴンとキルアが、クラピカに問いかける。

「ああ……パイロは私の親友……そして命の恩人なんだ」

クラピカが、懐かしい過去を思い出すように、優しく口元を歪《ゆが》めた。

「命の恩人？」

クラピカの過去に何があったのだろうか。ゴンは、きょとんとした表情でクラピカに話の続きをうながした。

「崖から落ちた私を助けようとして、パイロは眼と足に大怪我を負ってしまったんだ」

三人は、無言でクラピカの話に耳を傾ける。

「――あの頃の私には、百二十八人の同胞と、美しい森が世界のすべてだった。緋の目を奪おうとする者から隠れるようにひっそりと暮らしていたんだ。あの本を読むまでは……」

※

時刻はすでに夕暮れ。

クラピカの口から語られたのは、彼の故郷、クルタ族の里での思い出話だった。

いちばんの親友・パイロと仲良く暮らした日々のこと。

パイロとともに外の世界に憧《あこが》れをいだくようになり、外出試験を受けたこと。

パイロの機転でなんとか自己抑制《じこよくせい》試験に合格し、みごと、外の世界に旅立つのを許されたこと。

パイロの身体を治すため、そしていつか一緒に冒険の旅に出ることを誓《ちか》って、クラピカが里を旅立ったこと。

そこまで語り終えたとき、カーテンの隙間《すきま》から病室に射《さ》しこむ夕陽《ゆうひ》が、クラピカの頬を茜色《あかねいろ》に染めていた。

「――その六週間後だった。クルタ族が虐殺されたというニュースが流れたのは……」

そう語るクラピカの表情が憎《にく》しみに歪《ゆが》むのが、キルアにはわかった。

「百二十八人の村人全員が殺された。そして、惨殺《ざんさつ》された死体のそばには、賊《ぞく》のメッセージが残されていた。――『我々は何ものも拒《こば》まない。だから我々から何も奪うな』」

それは流星街《りゅうせいがい》の住人が、犯行の際に残すメッセージだ。そして悪名高い〝彼ら〟もまた、その流星街出身だと言われている。

「幻影旅団のしわざってわけか……」

顔をそむけながら言うレオリオ。

親友の死を語るクラピカは、暗く沈んだ表情をしていた。それを慮《おもんぱか》るように、ゴンが声をかける。

「パイロは、クラピカのとってもたいせつな友達だったんだね」

「……あいつのことを忘れたことは一日もない。常《つね》に私の心の中にいる」

親友《パイロ》を想うクラピカの言葉に、ゴンが力強く応《こた》える。

「パイロに何があったかはわからないけど……クラピカの眼は絶対に取り返すよ！」

「……ああ！」

ゴンの提案に、キルアもうなずく。

「ゴン、キルア……」

ゴンとキルアに、クラピカは微笑みで応えた。

「私の身体がまだ本調子ではない以上、やはりお前たちの力を借りるべきなのかもしれないな」

まかせろ、と言うように力強くうなずくゴンたち。

しかし、ことはそう単純ではなかった。

「けどよ、肝心《かんじん》な居場所がわかんねえんじゃ、どうにも探しようが……」

浮かない顔をするレオリオ。

パイロの目的がクラピカの眼を奪うことにあったのならば、目的を果たし終えた以上、もう近くにはいない可能性が高い。闇雲《やみくも》に探したところで見つかるものではないだろう。

※

いい案が出ずに黙りこむ病室の空気を察して、クラピカが口を開いた。

「地図を用意してくれ。私の〝導く薬指の鎖《ダウジングチエーン》〟を使えば場所を特定できるかもしれない」

クラピカの右手の薬指に、念《ネン》の鎖《くさり》が具現化《ぐげんか》される。

〝導く薬指の鎖《ダウジングチエーン》〟は探している物や人を、先端の振り子の動きで指し示してくれる念《ネン》の鎖だ。これを使えば、パイロを見つけ出すこともできるだろう。

だが、

「ううっ……」

右手の鎖は数秒ももたずに消えてしまった。大怪我を負った今の身体では、とても念《ネン》を使えるようなコンディションではないのだろう。

「念《ネン》を使うのはよせ。ただでさえ弱ってんだ。今は体力の回復に専念しとけよ」

レオリオが気づかうように言う。

「だが……」

クラピカは、焦《あせ》っていた。奪われた自分の眼と——そして何より、再会した親友《パイロ》のことが気がかりでならなかったのである。

——のんきに寝ている場合ではないというのに……！

ろくに動かない自分の身体に、歯がゆさを覚えるクラピカ。

何か……何かパイロを探す手立てはないだろうか——。

文字通りの暗闇《くらやみ》の中、必死に手段を考えていたそのときだった。

「!?」

失われたはずのクラピカの視界に、突如《とつじょ》見慣れぬ光景が映し出されたのである。

目の前にあるのは扉——だろうか。

それが開かれ、光が飛びこんできた。

扉の向こうから見知らぬ男が、こちらを覗《のぞ》きこんでいる。

奇妙な外套《がいとう》をまとった長髪の男。

男の口が、こう語っているように見えた。

——お目ざめの時間だよ、私の天使。


「なんだ⁉　……なにか見える⁉」

クラピカの眼に映し出されているのは、この病室の光景ではない。どこかの廃墟《はいきょ》のような場所だった。


——君の美しさには興奮《こうふん》するよ。吐きそうなぐらいにね。

そうつぶやく男に抱きかかえられ、階段を上る。

一段、一段、ゆっくりと——。

「階段を上っている……？　何者かに抱きかかえられて……」

クラピカのつぶやきに、ゴンたちが驚きの声を上げた。

「え!?　どういうこと？」

「考えられる可能性は一つ。クラピカの眼は生きていて、今、その眼に映っているものがクラピカに見えてるってことだ」

と、代わりに応えるレオリオ。

その言葉には一理ある。あのときパイロは、何らかの念能力《ネン》によってクラピカから眼を奪った。だとすれば、その眼が今なおクラピカと繋《つな》がりを持っているという、この不思議な現象にも説明がつく。

——ならばこちらにとっても有り難い……！　視界に入る情報を手がかりに場所を特定し、パイロの行方《ゆくえ》を追えるかもしれない……！

「クラピカ、今何が見える!?」

「夕陽だ。——部屋の中から窓の外の夕陽を見ている。平原の先に山の稜線《りょうせん》が見える……。奇妙な形の岩山だ……。山の中腹《ちゅうふく》に丸い穴が開いている……」

眼に見える情報を、なるべく正確に三人に伝える。

「他には？」

「右がわには川が見える……待て、男が現れた」

クラピカの視界に、外套を着た男が現れた。先ほど自分を抱き上げていた男だろう。残

4

念ながら夕陽の逆光で、顔はよく見えないが。

「そいつが犯人か？」

「特徴は⁉」

キルアとゴンが詰め寄る。

「身長百八十センチ前後、やせ形、唇《くちびる》に銀のピアス、服装は黒っぽい外套《がいとう》を羽織《はお》っているようだ。年齢は二十代から三十代――」

この男が、パイロを使って自分から眼を奪ったのだろうか。

クラピカは、視界の男をより正確に観察しようとしたのだが、

――太陽は眼に良くなかったね。……さあ、眠りなさい。

男がそうつぶやき、その手をこちらの顔にかざして、まぶたを覆い隠してしまった。

「あれは――」

視界はふたたび闇に閉ざされてしまったが、そのとき一瞬だけ見えた、男の手のひらに描かれていた紋様《もんよう》に、クラピカは驚愕《きょうがく》する。

「蜘蛛《くも》の刺青《タトゥー》――⁉　ナンバーは『4』……⁉」

クラピカは心の底に、抑えがたい激情が湧《わ》き起こった。今の自分と奪われた眼がリンクしているというのなら、今頃その眼は緋色《ひいろ》に変じていることだろう。

「ええっ⁉」

蜘蛛の刺青《タトゥー》という単語に、ゴンたちも驚きを隠せないようだ。

「それって、幻影旅団の証《あかし》だよね」

「ああ。しかも数字はヒソカと同じ4番だった。……どういうことだ？」

「ヒソカに代わる、新たな4番が入ったってことか？」

キルアが、唸《うな》る。

もともとヒソカは、幻影旅団の団長との戦い《バトル》を楽しみたいというだけで入った、かりそめの団員に過ぎなかった。ヨークシンでの騒動《そうどう》をきっかけにヒソカは旅団を離反《りはん》したはずだし、他の団員が補充されたとしてもおかしくはない。

——しかし、それならばなぜ、旅団がパイロを……？

悩むクラピカを見て、レオリオがこほん、と咳《せき》ばらいをする。

「その詮索《せんさく》は置いといてだ。まずはさっきクラピカが見た風景を手がかりに、男の居場所を特定するべきだろう」

「つっても、これだけの情報じゃなー」

キルアがため息をつく。

丸い穴の開いた岩、そして右がわに川が流れているような風景……。キルアが言うとおり、これだけの情報から場所を特定するのは至難《しなん》の業《わざ》だろう。

「金はかかるけど、やっぱ、アレ使うのがベストかもな」

「そうだな……金かかるけどな」

守銭奴《しゅせんど》のレオリオがため息で応えた。

※

シャンハのような片田舎《かたいなか》であっても、インターネットカフェは存在する。

とはいえ、ないよりはマシ、というレベルのネットカフェだ。外壁には落書きがされており、内装の壁や床の一部は剝《は》がれてしまっている。どう見ても、古びた喫茶店を改修しただけの小汚い店だ。奥に、申しわけ程度にＰＣが数台置かれているだけ。しかも数代前の骨董品《こっとうひん》レベルのマシンであり、回線も遅々《ちち》たるものだった。

「ま、文句言ってる場合でもねーか」

ため息をつくキルア。

そんなキルアに苦笑しつつ、ゴンが画面に向かって証《ライセンス》ナンバーを入力する。

カードリーダーにハンターカードを滑りこませると、ピピッ、という読み取り音の後に、画面には目あてのサイトのトップページが現れた。

ハンター専用サイト『狩人の酒場《かりゅうど》』。

情報料さえ払えばこの世のすべてを知ることができると言われるほどの、優《すぐ》れた情報サイトである。情報量も信頼性も一般サイトとは雲泥《うんでい》の差があり、世界中のハンターたちがこのサイトを利用している。

レオリオが地形検索《けんさく》の画面を呼び出し、先ほど病室でクラピカが見た風景の特徴を、条件項目として打ちこんでいく。

「検索結果が出たぞ」

しばらくすると、広大な世界地図が画面に表示された。シャンハシティを含め、世界中のあちこちが該当《がいとう》箇所として示されている。これでは探しようがない。

「これじゃ範囲が広すぎるな。もう少し条件を絞《しぼ》りこまねーと」

「今オレたちがいる場所から、時差十分以内の場所に絞ったら？」

と、キルアがつぶやく。

クラピカはさっき、視界に夕陽が見えると言っていた。病室でその話をしていたのも、ちょうど夕陽が沈む時刻……。とすれば、クラピカの眼が存在する場所とこの街とで、それほど大きな時差はないだろう。もしかすると、クラピカの視《み》た謎の男は、案外この近くに潜伏《せんぷく》しているのかもしれない。

キルアの助言どおりにレオリオが条件を打ちこむと、今度は画面にとある街の地図が表示された。

「トトリア地区か……」

「その中のどこかに男のアジトが?」

「ああ、まだかなり広範囲だが、ここいらをしらみつぶしに当たるしかねえ」

画面をプリントアウトするレオリオ。

トトリア地区は、ここシャンハシティから百キロ程度の距離にある。だが、ゴンやキルアの足なら一晩でたどり着けるだろう。

「これぐらいならなんとかなるよ」

「まあな」

うなずき合うゴンとキルア。

「オレも一緒に行きてえところだが……」

「レオリオはクラピカを頼むよ」

意識自体ははっきりしているとはいえ、まだ病《や》みあがりのクラピカを一人残していくわけにもいかない。医術の心得《こころえ》のあるレオリオが近くにいてくれれば、キルアたちも安心して捜索に専念できる。

「……キルア、さっそく出発だ！」

席を立ち、店の出口へと駆け出すゴン。

「ああ……って、お前、証《ライセンス》忘れてるぞ！」

キルアが、カードリーダーに挿《さ》しっぱなしだった証《ライセンス》カードを掲《かか》げてみせると、ゴンはばつの悪そうな笑みを浮かべた。

「あ、キルア持ってて！」

おそらく、何の気なしに忘れたのだろう。ハンターにとって命の次に大事なカードだというのに、ゴンはこの証《ライセンス》カードに至《いた》って無頓着《むとんちゃく》だった。金策《きんさく》のために質《しち》入《い》れしたり、とか。

「ったく、しょうがねーな」

キルアは、ポケットにカードを入れ、ゴンの後を追った。とりあえず、自分が預かっていれば安心だろう。

「すまねえな！　また何か情報が入ったら、携帯に連絡を入れるぜ！」

ゴンとキルアは背後から声をかけるレオリオに携帯《ビートル》を掲げて手を振り、店を出た。

——めざすはトトリア地区……！

第2章

一夜明けて、ゴンはトトリア地区の小さな集落にいた。

シャンハシティよりもさらに寒村《かんそん》、荒野に点在《てんざい》する村落の一つである。

遠くに見えるのは、クラピカから聞いたのと同じ風景……大きな穴の開いた岩山、右がわに川が流れている。

「ここも違うな……」

ゴンは、家の屋根から屋根へと移動しながら見える風景を確認していた。レオリオの手描きの風景イラストと、窓から見える風景が一致するか、一軒一軒確かめているのだ。

屋根からいきなり現れるゴンを見て、村人たちは皆びっくりした表情を浮かべる。そんな彼らに愛想笑《あいそ》いとお辞儀《じぎ》を返しつつ、しらみつぶしに家を調べていく。トトリア地区には他にもたくさんの集落があるため、かなり根気《こんき》のいる作業になりそうだった。

「まいったなあ。全部調べるとなると、時間がいくらあっても足りないや」

地区中央の時計台の針は、おおよそ正午を指していた。

手分けをして調査を開始してから数時間。キルアと約束の今晩十時に落ち合うまでに、何か手がかりを見つけようと思っていたのだが、いっこうに見つかる気配《けはい》はない。

――うーん。探し方が悪いのかな……?

ゴンは屋根から地面に降りたち、ため息をつく。

そのとき、集落の広場のほうから歓声《かんせい》が聞こえてきた。

「ほう、すごいじゃないか!」

「兄ちゃん、やるなあ!」

声のするほうを見ると、人だかりができている。ゴンはなんとなく興味をそそられて、その中に首を突っこんだ。

「うわあ……!」

それは、とても不思議な光景だった。

ピエロの姿をした小さな人形《マリオネット》が、飛んだり跳《は》ねたり、踊ったり。まるで本物のピエロよろしく、玉乗りまでこなしている。

その人形《マリオネット》を操《あやつ》っているのは、帽子をかぶった小柄な少年だった。歳《とし》はゴンより少し上くらい……。大道芸人《だいどうげいにん》だろうか。

「すごいな……。まるで生きてるみたいだ」

素直に感嘆《かんたん》の声を漏《も》らすゴン。

それが少年の耳に入ったのか、彼は嬉《うれ》しそうに微笑《ほほえ》むと、ピエロを玉の上で逆立ちさせた。

「おおっ……⁉」

しかもあろうことか、そのピエロが、片手に持った大きな剣——と言っても人間から見れば短剣くらいの大きさだが——を、地面に向かって振りかぶり、思いきり上空に投擲《とうてき》したのである。

短剣はひゅう、と風を切り、まもなく少年のもとへと落ちてくる。

「うわっ⁉」

短剣の切っ先は、そのまま少年の手にした林檎《りんご》へと、垂直に突き刺さった。その林檎を手に、少年はニコリと笑う。

「ひゅーっ！　すげえ！」

人形の投擲した短剣の勢いが強すぎれば、ナイフは林檎ごと少年の手のひらを貫通《かんつう》していただろうし、弱ければ林檎に刺さらなかっただろう。まさに、紙一重《かみひとえ》の技術が要求される高度な人形操作。それは、素人《しろうと》のゴンが見てもわかる。

少年の離《はな》れ業《わざ》を見て、さらにどっと湧《わ》きあがる観客たち。少年の足元の空《あ》き缶に、次々とおひねりを投げ入れていく。

「お兄ちゃん、すごいんだね！」

ピエロ人形の大道芸を楽しそうに見ていた人々の中には、まだ小さい女の子もいた。人形遣《づか》いの少年に尊敬のまなざしを送っているようだ。

——あの子の言うとおり、すごい芸だったなあ。

女の子は小銭を手に、ピエロのもとへと駆け出した。

「あっ⁉」

短い悲鳴。広場を横ぎろうとした荷馬車の前で、転んでしまったのだ。

荷馬車の勢いは止まらず、そのまま女の子のほうへと突っこんでくる。

「危ない！」

路上でうずくまった女の子に驚き、荷台を引いていた馬が暴れ出す。

「ブヒヒヒン！」といななないて暴れる馬を、御者《ぎょしゃ》のおじさんが必死になだめようとするも、とっさのことにどうすることもできないようだ。しかも無理に方向転換しようとした結果、荷台に積んでいた大量の木箱が崩《くず》れそうになる。

「荷台のロープが……！」

荷台にくくりつけられたロープがちぎれそうなのを見て、誰かが叫んだ。

このままでは荷台に山のように積まれた木箱や樽《たる》が、路上にうずくまった女の子に直撃してしまう。

「あっ……!?」

とっさに飛びだした人形遣いの少年が、女の子をかばうように抱きしめるが、時すでに遅し。

結局、バチンとロープが切れ、荷馬車の積載物《せきさいぶつ》がガラガラと轟音《ごうおん》を立てて崩れ落ちた。

広場にいた誰もが、二人の子供が大量の荷物に押しつぶされる凄惨《せいさん》な光景を脳裏《のうり》に描く。

「ああ……ああ……!」

少女の母親は青白い顔で、もうもうと舞い上がる土煙《つちけむり》を前に腰を抜かしていた。

広場にいた誰もが身動き一つできずにいた中――瞬時に反応できたのはゴンだけだった。

「だいじょうぶ?」

荷物が崩れ落ちるより一瞬早く、ゴンは身を強張《こわば》らせていた少年と少女のもとに飛びこみ、二人を抱えて安全な場所へと離脱《りだつ》していたのだった。

あまりにも人間離れした身のこなし。

とっさに何が起きたのかわからずに、ぽかん、と口を開けていた人形遣いの少年だったが、自分を助けてくれたゴンがニコリ、と微笑むのを見て、つられて笑みを浮かべる。

「あ、ありがとう……」

彼の腕に抱えられていた女の子も、安心したように顔をほころばせた。

――無事に助けられて良かった。

観衆の歓呼《かんこ》や荷馬車のおじさんの感謝の声の中、女の子は母親のもとへと戻って行く。

その後ろ姿を見ながら、ゴンは安堵《あんど》のため息を漏らした。

それを見てあらためてゴンに頭を下げる、人形遣いの少年。

「ありがとう。助かったよ。――僕はレッツ」

レッツと名乗った少年は、にこりと微笑んで右手を差し出した。深く落ち着いた色をした瞳《ひとみ》が、じいっ、とゴンを見つめている。

――あれ、この子、なんか……。

レッツに見つめられ、少し違和感《いわかん》を覚えるゴン。

「どうしたの？」

「あ、いや――オレ、ゴン。さっきのすごかったね。まるで人形が生きてるみたいだったよ」

疑念を振りはらい、ゴンは差し出された右手を握る。

「あはは。すごかったのはお互いさまだけど。――それより、ゴンって面白《おもしろ》い名前だな」

短剣を抜き取った林檎をかじりながら、レッツは笑みを浮かべた。

「それなら、レッツだって」

たった二文字だし、おたがい覚えやすくていいよね、などと笑い合う。ゴンは、なんとなくこの少年とは仲良くなれるような気がしていた。

「そうだ、レッツってこのへんのこと詳《くわ》しい？」

「え？　まあ割と」

きょとん、とするレッツに、ゴンが例の風景イラストを見せながら言う。

「今、探してる場所があるんだけど……」

※

夜の帳《とばり》が下り、眼下の町は静まり返っていた。寂《さび》れた町だ。明かりがついているのは酒場くらいのものだろう。

キルアはトトリア地区内の別の集落を調査していた。ビルの屋上に片膝《かたひざ》をつき、そっと目を閉じる。

——集中……！

キルアの身体《からだ》をまとっていたオーラがぷっつりと消える。

〝絶《ゼツ》〟。

オーラを断ち、周囲の気配を探る念《ネン》の四大行《よんたいぎょう》の一つである。キルアは、獲物《えもの》を探す野生動物のように感覚を研《と》ぎ澄《す》ませ、足元の建物の中のオーラの流れを探っていた。

――室内に念《ネン》の気配はない。……違うな。

〝絶《ゼツ》〟を解《と》き、ふう、と息をつく。振り向いて地区中央の時計台を見れば、現在九時四十分を指している。約束の時間までもう少し……。

――いったんゴンと合流だ。

地面に降りたち、キルアは時計台のほうへと走る。


待ち合わせ場所の時計台の下にやってくると、ゴンが右手を振って呼びかけてきた。

「あっ、キルア！　何か見つけた？」

しかし、そこにいたのはゴンだけではない。帽子をかぶり、大きな箱のようなものを背負った少年も一緒だった。

――誰だ？

キルアは警戒《けいかい》しつつ、二人に近づく。

「いや、何も……。そっちは？」

「見つかんなかった」

と、ゴンは頭をかきながら答えた。

あ、そうだ、とゴンは少年のほうを向き、キルアを指し示す。

「紹介するよ、オレの友達のキルア。……で、こっちの子はレッツ。さっき友達になったんだ」

レッツという少年が微笑み、キルアに右手を差し出してきた。

「よろしく」

――友達……？

なんとなく違和感を覚え、キルアはポケットに手を突っこんだまま、疑《うたぐ》り深い視線を送る。握手をしないキルアに対し、レッツは首をかしげた。

「あのさ、レッツもお父さんを探して旅をしてるんだって。なんかオレと境遇《きょうぐう》が似てるだろ？」

レッツと肩を組み、明るく言うゴンに、キルアがため息をつく。

――クラピカの眼《め》を探さなきゃならないってのに、こんな得体《えたい》の知れないヤッと遊んでる場合か……？

「そんなことより、オレたちにはやることがあるだろ。行こうぜ」

「あ、でも。そのことをレッツにも相談したんだ。そしたら、心あたりがあるって」

4

PHANTOM ROUGE

「ほんとか？」

キルアがレッに視線を送ると、彼は微笑み「ああ」とうなずいた。

「で、その心あたりのうちのいくつかをレッと一緒に調べたんだけど、違ってて……」

「今日はもう遅いから、残りの場所は明日一緒に行こう」

と、レッがゴンに親しげに提案する。

——何なんだこいつ……？

キルアは、このレッという少年に対してどうも不信感《ふしんかん》をぬぐい去ることができなかった。友達《ゴン》を取られたような気がしてなんとなく気に入らないのは確かだったが、それ以上に何か引っかかるものを感じていたのだ。

——でもま、とにかく今は宿に向かうか。

キルアは頭を振り、二人の後を追った。

※

「ちょっと汚いけど、この値段じゃこんなもんだよな」

案内された部屋を見ながら、レッがつぶやく。

ゴンたちが宿に選んだのは、時計台からもほど近いホテルだった。ホテルなどと言えば聞こえはいいが、トトリア地区のような荒野の田舎町《いなかまち》では、当然ながらただの安宿。支配人によればいちばん眺《なが》めがいい部屋……らしいが、三階建てのホテルの三階というだけである。壁にはたくさん染《し》みがついており、棚《たな》やランプも古ぼけて埃《ほこり》まみれになっている。掃除もろくにされていない部屋ではあったが、ベッドとシャワーがあるだけでよしとすべきだろう。

「汗《あせ》かいたな。シャワー浴びよっと」

レツがシャワールームに入ったのを確認すると、キルアがゴンにぼそりとつぶやいた。

「……なんでアイツ連れてきたんだよ」

「え？　レツのこと？」

キルアが、レツに会ってから警戒を解いていないことは、ゴンにもわかっていた。どうしてなのだろうか。別に害意のなさそうな男の子なのに……。

「なんか怪《あや》しいんだよな。実はかっぱらいとかじゃねえの？」

キルアが、レツの入っているシャワールームにいぶかしむような視線を送る。シャワーの音に消されて、レツにこちらの声は聞こえていないはずだ。

「オレたち、盗まれるようなもん持ってないじゃん。っていうか盗まれないし……」

唯一《ゆいいつ》高価な持ち物といえば、ゴンのハンター証《ライセンス》くらいなものだが、レツが証《ライセンス》を盗む目的で近づいてきたとも思えない。ゴンくらいの年齢の少年をプロハンターだと思う人間はまずいないし、カード自体、今はキルアが持っているのだ。

元暗殺者であるキルアの察知《さっち》能力をかいくぐってカードを盗むには、よほど熟練した達人《たつじん》でもなければ不可能だろう。

「ま、そうだよな……」

少し考えこんで、キルアも納得したようだった。

「じゃオレもシャワー浴びてこよっと」

と、シャワールームを開けるゴン。

「え？」

「ん？」

中でシャワーを浴びているレッツと目が合い、ゴンは首をかしげる。レッツの姿に、どこか違和感を覚えたのだ。

水滴《すいてき》のついたレッツの肌《はだ》は瑞々《みずみず》しくきめ細《こま》やか、体つきは華奢《きゃしゃ》で全体的にどこか丸みを帯びていた。長い髪がしっとりと水気を帯びて肩口にかかっている様《さま》はまるで少女のようだ。というか、その身体は少女そのもので——。

「あれ？　もしかしてレッツって……」

ぽかん、とするゴンに、キルアが声をかける。

「何だよ？　どうしたんだよ」

「あ、えーと」

ばつの悪そうな笑顔で、一歩下がるゴン。

「びっくりさせちゃったかな」

身体にタオルを巻いて、レツがシャワールームから出てくる。タオルの下、胸の部分の膨《ふく》らみを見て、ようやくキルアも察したようだ。

申し訳なさげに、レツが苦笑する。

「僕、女なんだ……」

※

部屋での騒動《そうどう》のあと、キルアたちはホテル内のレストランで夕食を取ることにした。コックのおじさんが厨房《ちゅうぼう》で一人切り盛りしているような小さな食堂であるが、トトリアの名物料理を扱《あつか》っているなど、メニューはそう悪くない。

さすがに夜も遅いので、キルアたちが座る窓ぎわの席を除けば、客はほとんどいない。酒瓶《さかびん》を片手に酔いつぶれて寝ている客がいるくらいだ。

注文した料理を待つ三人。ゴンの対面に座るレッツが、手にしたピエロの人形を布で拭《ふ》きながら口を開いた。

「女の一人旅は危険だからさ、旅に出るときは男のふりをすることにしたんだ」

「そうだったんだ」

とうなずくゴン。

「よくある話だけどな」

「知ったかぶりして、キルアも気づかなかったくせに」

「うるせーな」

言い合うゴンとキルアを見て、レッツが笑い声を上げる。

「ははは、二人はほんと仲いいんだな」

「別に……」

夜空を映す窓のほうへとそっぽを向くキルア。

——今さら他人に言われるまでもねーよ。

しかしそんなキルアの態度など意に介《かい》さず、レッツは笑みを崩《くず》さない。

「うらやましいよ」

「……レッツは、どうして一人旅してるの？　家族とかは？」

尋《たず》ねるゴンに、レツが苦笑して答える。

「兄も人形師なんだけど、僕も将来は兄のようなちゃんとした人形師になりたくてさ。今は旅をしながら大道芸で腕を磨《みが》いてるんだ」

彼女はマリオネットの糸をたぐり、テーブルの上でピエロにお辞儀《じぎ》させた。その見事な動作には、キルアも少なからず感心してしまう。

「――だから、旅のお供《とも》は今のところこいつだけかな」

「ほんとに生きてるみたいだね。もしかして、その人形ってレツが……？」

「もちろん、僕が作ったんだ」

得意げに言うレツに、ゴンが驚く。

「へえ！　すごいな！　レツならきっと立派《りっぱ》な人形師になれるよ」

そのとき、コックのおじさんが大皿に盛った料理を運んできた。山盛りのローストビーフだ。香《こお》ばしい肉の匂《にお》いが鼻腔《びこう》をくすぐり、ゴンとキルアの腹が鳴る。

何せほとんど一日中歩きまわっていたので、お腹《なか》が減っていたのだ。

「僕は昼たっぷり食べたから、遠慮しないで」

彼女の傍《かたわ》らのピエロが「どうぞ」とでも言うように、右手を差し出した。

キルアは、人形の透きとおるような瞳が自分をじっと見つめているような、そんな錯覚《さっかく》に陥《おちい》る。

「……その人形、綺麗《きれい》な眼をしてるな」

「ゴンとキルアもね」

レツにそんなふうに笑顔で返され、キルアはきょとん、としてしまう。隣のゴンも同様のようだ。

「ゴンはどこまでも透明な眼をしている……。それからキルアの眼は、闇《やみ》を帯《お》びているけど純粋だ」

レツにじっと見つめられ、何だか気恥《きは》ずかしくなるキルア。

「やめろよ、気色わりぃ」

「や〜い、照《て》れてやんの」

「照れてねーよ！」

軽口を叩《たた》き合うキルアとゴンを見て、レツはふっと笑みを浮かべる。

「人形は眼を作るのがいちばん難しいんだ。その人形が生きるも死ぬも眼のできしだい……。もしも最高の眼ができれば、その人形には魂《たましい》が宿《やど》るって言われてるんだよ」

「魂が……」

レツの言葉に、ゴンが興味深そうにうなずいていた。

キルアは、レツの語る〝眼〟や〝魂〟という言葉に、少しひっかかりを覚える。

――まさかこいつがクラピカの眼を？　だったらなんでオレたちに近づいてきたんだ？

いや、だいいちクラピカが見た犯人の特徴とぜんぜん違う――。

堂々《どうどう》めぐりする疑念。

眉《まゆ》をひそめるキルアの顔を、ゴンが覗《のぞ》きこんだ。

「キルア、どうかしたの」

「え？　いや……」

「変なの。早く食べないとなくなっちゃうよ」

よほど空腹だったのか、ゴンは先ほどから何枚もの肉を頬張《ほおば》るようにして食べている。

「あはは」

ゴンの食べっぷりを見て笑うレツには、今のところ害意は感じられない。

――ま、しばらくようすを見てみるか。

※

夜の平原を、クラピカは地走鳥《ピコ》に乗って駆けていた。

一緒に乗るのは、あの日のパイロだ。

地走鳥《ピコ》に揺られながら、パイロは寝息を立てていた。

――オレは外の世界でお前の眼と足を治してくれる医者を見つける。そうしたらすぐ戻る!! そしたら今度こそ期限つきじゃなく、思う存分《ぞんぶん》、二人で外の世界を見よう!!

月明かりが、パイロの寝顔を照らす。

――いっしょだぞパイロ! これからもずっと! ずっとだ!


「パイロ……」

ゴンたちから遠く離れたシャンハシティの病院で、クラピカはかつての親友の名を口にしながら眠りに沈んでいた。

しかし、その寝言を聞いていたのはレオリオではない。彼は部屋の隅《すみ》に持ちこんだソファーの上で、いびきを立てていたのだから。

部屋の中にはもう一人、侵入者がいた。

クラピカの病室に音もなく忍びこんだ男は、ゆっくりとベッドに近づく。

月光を浴びて眠るクラピカに顔を寄せ、男は舐《な》めるように匂いを嗅《か》いだ。

「誰だ……!?」

その気配にクラピカが目覚め、口を開く。

レオリオもまたあわてて上体を起こし、ベッド脇《わき》の人物を見て目を見開いた。

「お、おめぇは⁉」

それは、二人にとっても因縁《いんねん》浅からぬ人物。

「ステキだね。消毒液とキミの血の匂い……♥」

「ヒソカ⁉」

現れたのは、奇術師《きじゅつし》にして殺人鬼、強敵との殺し合いを何よりの快楽とする戦闘《バトル》マニア――ヒソカであった。その男の放つ奇妙な雰囲《ふんい》気《き》に、クラピカは一瞬で夢から現実に引き戻されてしまう。

「てめえ！　何しに来やがった⁉」

動けないクラピカを守るため、ヒソカにつかみかかろうとしたレオリオ。しかしヒソカの手元を見て、踏みとどまる。

「騒がないでくれるかな♠」

ヒソカは手にしていたトランプを、クラピカの首に当てていたのである。念《ネン》がこめられ、刃《やいば》と化したカードだ。いつでも首を落とせるというサインだろう。

「クッ……！」

歯がみするレオリオに、クラピカが冷静な声で告げる。

「だいじょうぶだ。ヒソカにその気があればいつでも殺せたはず。……そうしなかったということは、殺意はないということだ」

「ご名答♥」

ニヤリと笑みを浮かべるヒソカ。

「何しに来た？」

警戒するクラピカに対し、ヒソカはこともなげに言い放つ。

「君の眼を奪った奴《やつ》のことを教えてあげようと思ってね◆」

※

予期せぬ深夜の来客を迎えたのは、クラピカたちのところだけではなかった。

安ホテルで寝ていたキルアは、ふと強烈な気配を感じて飛び起きる。

「何か来る……!?」

ホテルに近づく、何者かの圧倒的な殺気。明らかに敵だ。それも並の相手ではない。

殺気もオーラも微塵《みじん》も隠そうとしていないあたり、敵の自信のほどがうかがえる。

「オレも感じた」

とゴンもベッドから飛び起きる。

窓に駆け寄り、町の通りに目を落とすゴンとキルア。

雲間《くもま》の月明かりに照らし出された男の姿を見て、二人は息をのむ。

「あれは……？」

自分たちの何倍もの巨軀《きょく》を誇る、野性的な男だった。

鋼《はがね》のような筋肉に、ひとにらみするだけで獲物を射殺《いころ》せそうな鋭い眼光。まとう気配は、血に飢《う》えた野獣《やじゅう》を彷彿《ほうふつ》とさせる。

フュウウウと荒い息を吐きながら、一人堂々とこのホテルを目指して歩いてきている。

——並の使い手じゃない……！

男を目にしているだけで、キルアは額《ひたい》から脂汗《あぶらあせ》がにじみ出てくるのを感じた。

身体から発せられるその強烈なオーラは、今まで出会ったどんな強敵をも凌駕《りょうが》していた。

「あいつは——ウボォーギン⁉」

幻影旅団《げんえいりょだん》の一員で、無双《むそう》の怪力の持ち主。ゴンやキルアも、懸賞金《けんしょうきん》めあてで旅団のメンバーを追跡《ついせき》した際に、リストで彼の顔を確認している。

「けど、アイツはクラピカが倒したはずだろ？」

だんだん近づいてくるウボォーギンを見て、キルアは焦燥《しょうそう》を覚える。

ヨークシンでの戦いの際、確かにクラピカはウボォーギンを倒したと言っていたはずだ。

それがきっかけで残りの旅団《クモ》の連中の恨《うら》みを買い、自分たちも巻きこまれたのだから間違いない。

「……どうしたの？」

寝間着《ねまき》姿のレツが、目をこすりながら二人のほうを見ていた。

危ないから下がってろ、と言いかけたキルアだったが、

「見つけたぜ」

しかし、先に地上のウボォーギンがこちらに気づいたようだ。鋭い視線でギラリとにらみつけられ、背筋《せすじ》に緊張が走る。

「お前ら、鎖《くさり》野郎の眼を探しているんだってな」

鎖野郎……クラピカのことだ。

「どうしてそれを？」

ゴンの疑問には応《こた》えず、眼下《がんか》の巨漢《きょかん》はただこう言いはなつ。

「降りてこい」

「バーカ、誰が降りるかよ」

——敵の戦闘力は間違いなくオレたちより上……。このままやり合うよりは逃げたほうが得策《とくさく》……！　奴がホテルの三階に上がってくる前に、裏口から……！

そんなキルアの内心を見透《みす》かすように、ウボォーギンはニヤリと笑った。

次の瞬間、男はその巨体全身にオーラを膨れあがらせる。

「〝練《レン》〟!? まさか……」

「〝超《ビッグバン》――」

振りかぶったウボォーギンの右腕に、膨大《ぼうだい》なオーラが集中していく。もはや〝凝《ギョウ》〟を使わずとも、あの右腕がどれだけ危険なものか、キルアやゴンには理解できる。

「逃げるんだ!」

キルアが叫ぶや否《いな》や、ゴンはレツを抱きかかえる。

「え?」

とまどうレツに事情を説明している暇《ひま》はない。ゴンとキルアは同時にホテルの窓を蹴破《けやぶ》る。

その瞬間、眼下の男が咆哮《ほうこう》を上げた。

「――破壊拳《インパクト》〟オオオオッ!」

地面が揺れるほどのとてつもない轟音《ごうおん》が、夜の町に響きわたる。

ホテル前の巨大モニュメントに叩きつけられたウボォーギンの右拳《こぶし》。

〝超破壊拳《ビッグバンインパクト》〟によって破壊された岩石の破片が、ものすごい勢いで前方に飛散する。まる

4

で破片一つ一つが、大砲の弾のような速度と威力《いりょく》だ。

「冗談だろ……？」

その弾丸は瞬《また》く間にホテルに激突し、そのコンクリート壁を粉砕《ふんさい》した。

ただの右ストレートの一撃だけで、安ホテルが半壊《はんかい》した。キルアとゴンは、ゴクリ、と生唾《なまつば》を飲みこむ。

——判断が一瞬でも遅れてたら、瓦礫《がれき》の下だった……！

三階の窓から飛び出したキルアとゴンは、ホテル前の道に着地する。

「レツは逃げて！」

ウボォーギンから目を離さずに、ゴンがレツを降ろす。

「でも」

「急いで！」

ゴンの剣幕《けんまく》に圧《お》されたのだろう。レツはこくり、とうなずくと、夜道を大男とは逆方向へと走り去った。

なんとか彼女を逃がすことはできたものの、しかし依然窮地《いぜんきゅうち》にあることに変わりはない。

「派手《はで》にやろうぜ」

フュウウウウ、と息を吐きながら、ウボォーギンがこちらに向かってくる。

「何であいつが蘇《よみがえ》ったんだ⁉」

「わかんないけど、あいつがクラピカの眼と関係してるんなら、やるしかない！」

覚悟を決めて構えるゴンに、キルアも「ああ」とうなずく。

念《ネン》のオーラをまとい、臨戦《りんせん》態勢になる。

「うがあああああああっ！」

再び右手を振りかぶって襲《おそ》ってきたウボォーギンを見て、キルアはゴンに視線を送る。

(まずは敵の力量を測る……！)

(オーラを増幅《ぞうふく》して防御《ぼうぎょ》に集中！)

二人のオーラの量が爆発的に膨らむ。

――〝練《レン》〟！

先ほどの〝超破壊拳《ビックバンインパクト》〟ならまだしも、ただのパンチであればオーラの防御でじゅうぶん受けとめられるはず……。と、キルアはそう踏んでいたのだが、

「くっ⁉」

ウボォーギンは念《ネン》のガードごと、ゴンとキルアを吹き飛ばした。

パンチ自体の威力は念《ネン》の防御でなんとか相殺《そうさい》できたが、足の踏ん張りがきかず、そのまま背後にはね飛ばされてしまったのである。

「うわあああああっ⁉」

建物に激突。ぶつかった背後の壁を打ち破ってしまったが、念《ネン》のガードがなければ、粉々になっていたのは自分たちのほうだっただろう。

——筋力も、オーラの絶対量も、オレたちとは圧倒的に違いすぎる……！

「ふぅん……さすが強化《きょうか》系の筋肉バカは違うね」

動揺を押し殺しつつ、軽口を叩くキルア。

そんなキルアを見て、ウボォーギンはニィッと笑みを浮かべる。

「ほざけ」

巨漢はふたたびこちらに向かって腕を振りかぶり、追撃《ついげき》してきた。

——普通のパンチですら、まともに食らったらヤバい……！

ゴンとキルアは左右に跳躍《ちょうやく》してウボォーギンの拳をかわし、そのまま空中で蹴《け》りを放った。念《ネン》をこめた二人の足がウボォーギンの顔面をじかに捉《とら》えたが、

「かゆいんだよ」

その顔には傷一つついていなかった。

攻撃も防御も通用しない。ゴンやキルアとは念《ネン》の量がケタ違いなのだ。

——なら、速《スピード》さで翻弄《ほんろう》すれば……！

後ろに跳躍し、まずは距離を取ろうとするキルアだったが、ウボォーギンはそれを見逃さない。ホテルの入口近くの柱に拳を叩きつけ、その石造《いしづく》りの柱を砕《くだ》き、えぐるようにして渾身《こんしん》の一撃を放った。

「破岩弾《はがんだん》ッ！」

巨漢の怪力によって削《けず》られた柱の破片が、空中のキルアを襲う。

とっさに岩を叩き落とすキルアだったが、

「!?」

気づいた時には、柱の破片を目くらましに、自分の死角へとウボォーギンが接近してきていた。

——ガードが間に合わないっ……！

その瞬間、強烈な平手打ちがキルアに叩きこまれる。

「がはっ……!?」

そのまま背中から地面に叩きつけられ、息が止まりそうになるほどの強烈な衝撃が、キルアを見舞う。

「キルア!?」

あっけなく倒されたキルアを見て、思わず叫ぶゴン。

しかしキルアに注意を向けたその瞬間が、ゴンにとって命取りであった。

「逃がさねえぜ」

「!?」

ゴンの身体は、ウボォーギンの巨大な左手でつかみあげられてしまっていたのである。

「放せっ！」

どれだけゴンが暴れようとも、ウボォーギンの表情には微塵《みじん》も動揺は見られない。文字どおりの大人と子供……。ゴンとこの巨漢にはそれだけの力の差があるのだ。

——いや、もはやこれは捕食者《ほしょくしゃ》とエサの関係か……！

見れば、巨漢は大口を開け、ゴンの頭を歯でかじろうとしていた。

「うわあっ!?」

そうはさせないと、とっさに拾い上げた岩石の破片を、男の口の中に突っこむゴン。

「ああん？」

しかし、がきり、という鈍《にぶ》い音とともに、岩石の破片はウボォーギンに軽々と嚙《か》み砕かれてしまった。

「なんつー歯だよ……！」

青ざめるキルアを見て、ウボォーギンがニヤリと笑う。それはまさに、狩《か》りを楽しむ獣《けもの》の表情。

「ほらよ、返すぜ」

そう言うとこの巨漢は、つかんでいたゴンを勢いよくキルアのほうへ放り投げた。獲物にあえてとどめを刺さず、圧倒的な力を見せつけることを楽しむ肉食獣《にくしょくじゅう》のように。

「うわあああああっ⁉」

「ゴン！」

とっさにゴンを受けとめるが、勢いを殺しきれず、二人ともそのまま後ろの建物に叩きつけられてしまう。

「……ぐううっ⁉」

——ここまで力の差があるなんて……！

相手は旅団《クモ》の一員。自分よりも何倍も強い相手だ。満身創痍《まんしんそうい》の自分たちにはもはや勝ち目はないのかもしれない。

キルアの脳裏にそんな後ろむきの考えがよぎった瞬間、自然と言葉が口をついて出た。

「ゴン……あいつとやりあうのは無理だ」

「え？」

後ずさるキルアに、怪訝《けげん》な表情を浮かべるゴン。

〝勝てない相手とは戦わないこと〟。

突如、兄《イルミ》の言葉がキルアの脳裏にフラッシュバックする。

幼少時からイルミの訓練を受けてきたキルアにとって、それは抗《あらが》うことのできない掟《おきて》。

――ダメだ……！　もう、勝てない……！

ゴンの手を取り、走り出そうとするキルア。

「逃がしはしねえ！」

しかしウボォーギンは咆哮を上げ、構わずこちらに突っこんでくる。

それはまるで、重戦車のごとき威圧感《いあつかん》。

「くらえええええっ！」

巨漢は高く飛び上がりながら右手に念《ネン》をこめ、キルアたちのほうへそれを思いきり振りかぶった。

――〝超破壊拳《アレ》〟が来る！

間一髪《かんいっぱつ》でその場から逃れた二人。轟音とともにアスファルトや建物が崩壊《ほうかい》し、直径十メートルほどのクレーターができていた。念《ネン》をこめたただのパンチとはいえ、純粋に破壊力に特化しているぶん、その威力は恐ろしい。

「まずはあいつのパンチをどうにかしないと……」

明らかな劣勢であるにもかかわらず、まだ勝機を見いだそうとするゴン。

キルアはそんな親友に対して、言葉を返せない。

〝逃ゲロ〟。

キルアの頭の中に、イルミの声が響く。やはり、勝てない相手からは逃げるしか――。

「キルア、聞いてるの⁉」

ゴンの声が、キルアを無理やり現実へと引き戻す。

「……え、うん」

「とにかく、オレが右腕を攻撃するから、キルアはその隙《すき》に――」

ゴンがそう言いかけたとたん、ウボォーギンが左腕をなぎはらうように振るい、ゴンを弾《はじ》き飛ばした。

――速い⁉

それはとても捉えきれない速度だった。あの巨体でありながら、なんという敏捷《びんしょう》さ。力《パワー》と速度《スピード》を併《あわ》せ持つ強敵に、どう立ち向かえばよいのか。

「ううっ⁉」

弾き飛ばされたゴンが、鈍い音を立てて壁に激突した。

内臓にダメージを受けたのか、口から血を吐き、ピクリと痙攣《けいれん》している。あれではもはや戦闘不能だろう。

左腕だけでこの威力。

——届かない。……やっぱりこいつには、勝てない……。

「へへ、やっぱ殺しはやめられねえな」

倒れたゴンを見て、醜悪《しゅうあく》な笑みを浮かべるウボォーギン。

動ける相手から始末《しまつ》していくつもりなのだろう。キルアに向き直って、ウボォーギンは
にやりと笑みを浮かべた。

——だめだ！　殺《や》られる！

もはや身体は硬直し、動くことができない。

キルアが目を閉じ、観念したその瞬間。

「キルアは逃げて……！」

気づけば、目の前にゴンが立っていた。キルアを守るようにして、ウボォーギンを前に
立ちはだかっている。

「え……？」

——そんなボロボロの身体で、お前はオレをかばおうとしてくれるのか……？

「早く！」

叫ぶゴンに、ウボォーギンが迫る。

「なら、二人まとめて死ねえええええっ！」

巨体が念《ネン》をこめた右腕を振りかぶり、ゴンは一瞬のちに訪れるであろう衝撃に対して身構えた。

しかしその刹那。


「おめえら、人形ごときになに手こずってやがる」


ゴンとキルアの視界に走る二筋《すじ》の剣閃《けんせん》。それらはウボォーギンの胸を十字に切り裂き、その勢いを止める。巨軀《きょく》が、苦悶《くもん》に表情をゆがませた。

「ぐうっ⁉」

斬《き》ったのは、長髪に口ひげというラフな見た目でありながら、剣呑《けんのん》な男だ。

「ノブナガ⁉」

ゴンとキルアは突如現れた旅団《クモ》の剣士に、驚きの声を上げた。

ノブナガといえば、ヨークシンで二人を捕らえたり、団員に推薦《すいせん》しようとしたりと、何かと縁《えん》の深い相手ではある。だが、どうしてノブナガがこんなところに――？

いや、今はそんなことよりも。

「こいつが人形だって⁉」

キルアは目を見開いて、ウボォーギンのほうを振り向く。

「オレの身体は鋼鉄《こうてつ》だ。おめえの剣でも命までは届かねえぜ」

ノブナガの刀で斬り裂かれたのは、ウボォーギンのタンクトップだけ。その下の皮膚《ひふ》には傷一つついていない。まさに言葉どおりの鋼鉄の身体である。

――前にクラピカの言ってたとおりの防御力……。本物のウボォーギンだとしか思えないけど……。

人形とはどういうことなのか。ノブナガを見ると、彼はウボォーギンをにらみつけ、鞘《さや》を腰に固定して構えた居合《いあ》い抜《ぬ》きの姿勢を取っている。

「しゃべるな、オモカゲの操り人形が……！」

「オモカゲ？」

聞いたことのない単語に、ゴンとキルアが眉をひそめた。

当のウボォーギンのほうは、ノブナガのにらみすら意に介《かい》さず、ニヤリと口元を歪めている。

「人形だろうと構わねえ。おかげでオレはまたこうして戦いの喜びを味わえるんだからな。

邪魔をする奴は全部殺せと命じられている。……たとえ相手が元相棒《あいぼう》でもな」

しかし笑うウボォーギンとは対照的に、ノブナガはまるで無駄口《むだぐち》を叩かない。

「…………」

身が震えるような感情を必死に押し殺しながら、ノブナガはかつての相棒に視線を向けていた。

「ふんっ！」

巨体から繰り出される重い一撃。ノブナガはそれを見切り、相手の懐《ふところ》へと潜りこむ。

だが一方のウボォーギンには怯《ひる》むようすはなく、至近《しきん》距離のノブナガに対して猛烈な掌《しょう》打《だ》を浴びせはじめた。手数で押しきるつもりなのだろう。

「どうした！　逃げるだけか⁉　オレと組んでた頃のほうが強かったぜ！」

連続で繰り出されるパンチを紙一重《かみひとえ》でよけつづけるノブナガ。かつての相棒の挑発《ちょうはつ》に一瞬だけ眉をひそめたが、すぐに無表情に戻り、無言でステップを繰り返す。

しかしその連撃の中、一撃だけ、ノブナガの予想もしないところに拳が叩きこまれた。

――地面⁉

ウボォーギンの拳がアスファルトを打つ。その瞬間大地が揺れ、バランスを崩したノブナガに一瞬の隙ができる。

「ははっ！」

「……ちっ……！」

ノブナガの肩口に、ウボォーギンの平手《ひらて》の一撃が入った。後ろの壁に叩きつけられるが、それでもノブナガは居合いの構えを崩さない。

逃げ場をなくした相手を見て勝機と感じたのか、ウボォーギンは必殺の右腕に念《ネン》をこめる。

「超《ビッグバン》――」

ウボォーギンが腕を振りかぶった瞬間、ノブナガは心底胸糞《しんそこむなくそ》悪そうにつぶやいた。

「……そんときに隙ができんのは、人形も同じかよ」

「破壊《インパ》――」

しかし、振りあげたその拳が、ノブナガを捉えることはなかった。

それより一瞬早く、ノブナガの太刀《たち》が一閃《いっせん》、ウボォーギンの両眼を切り裂いていたのだ。

「てめえが……人形ごときが――」

ノブナガがウボォーギンの攻撃をかわしつづけたのも、すべては相手の技《わざ》を誘うため。

技を仕掛けるときに生じる隙に、一刀《いっとう》を叩きこむため。

ノブナガに眼を切り裂かれ、ウボォーギンは「うがあああああっ!?」と断末魔《だんまつま》の雄《お》たけびを上げている。

「――オレの親友の名前を騙《かた》るんじゃねええええええええええっ！」

隙だらけになったウボォーギンの身体が、ノブナガの太刀で何度となく斬りつけられる。

一つ、二つ、三つ――！

そばで見ていたキルアにさえ、その斬撃《ざんげき》は目で追うのがやっとという速さであった。

幾多《いくた》の斬撃を身体に受け、ようやく獣は動きを止める。

「ぐううっ……！」

ウボォーギンは、苦痛の中で一瞬だけ真面目《まじめ》な表情でノブナガを見た。

「本当は生身《なまみ》のうちに、てめえと決着をつけときたかったんだがな――」

精気《せいき》が抜けたように倒れるウボォーギンを、ノブナガは憎々《にくにく》しげににらみつけていた。

「黙れ。てめえはウボォーじゃねえ……。あいつの眼が入れられただけの、ただの木偶《でく》だ」

ウボォーギンの身体から、斬られた目玉が転げ落ちる。眼のなくなった巨体は言葉もなく地面に仰向《あおむ》けに倒れ、周囲に轟音が響きわたった。

横たわったウボォーギンからは、もはや先ほどまでの威圧感のあるオーラは感じられない。

そのようすを見て、ノブナガが舌打《したう》ちする。

「元・旅団《クモ》の分際《ぶんざい》で、ずいぶんと舐《な》めた真似《まね》をしてくれたな……」

それは、ウボォーギンではない何者かに語りかけるような口調。

「――いるんだろ……？　オモカゲ」

そのとき、頭上から奇妙な笑い声が聞こえてきた。

「ククク……」

生気《せいき》のない表情をした長髪の男が月光に照らされ、建物の屋上にゆっくりと姿を現す。

――何者だ、こいつ……!?

ゴンとキルアの瞳を、撫《な》でまわすようにじっと見ていた黒い外套《がいとう》の男。

男の眼窩《がんか》は、闇一色――。

※

一方、深夜の病室では――。

「クラピカの眼を奪った奴のことを知ってるってのか、ヒソカ!?」

レオリオが驚きの声を上げた。

「話したよね♣　二、三年前、ボクは幻影旅団の4番の男と交代して入ったって◆」

「ああ」

強敵と戦うことを生きがいにしているヒソカは、団長と戦うためだけに旅団《クモ》に入った偽《いつわ》りの団員であった。そのあたりの事情は、クラピカが旅団を相手にするに際して、ヒソカと同盟を結んだときに聞いていたことである。

「その4番の男だよ♥　君の眼を奪ったのは♣」

ヒソカの言葉に、クラピカとレオリオは驚愕《きょうがく》する。眼を奪ったのは、元・旅団《クモ》の男ということなのか……？

「名前はオモカゲ――『神の人形師』と自称する特質《とくしつ》系の念《ネン》能力者◆　人の心に潜りこみ、そいつの執心《しゅうしん》……最も執着するできごとから〝人形〟を作りだす♠」

「〝人形〟？」

「人形はオモカゲの命令には絶対服従の僕《しもべ》となる♣　だが、オモカゲに操られながらも記憶を失うわけじゃないんだ♥」

「記憶だと？」

「人形には、本人の心も写し取られているんだよ♠」

ヒソカの台詞《せりふ》に、クラピカは一つの可能性に思い至《いた》る。

人の心に刻《きざ》まれた忘れられぬできごとから、人形を作りだす能力者。そして作りだされた人形は、本人同様の記憶を持つという。もし、その能力が自分に使われていたら？　自分の思い出を覗かれて、死んだ親友《パイロ》が人形として作りだされていたなら――?

「それゆえ、人形は自分の意思を持ちながら、オモカゲの命令に従うことになってしまう……◆　彼にはその悲劇がたまらないらしい♣」

いい趣味してるよ、と笑みを浮かべるヒソカ。

――じゃあ、私の眼を奪った、あのパイロも……?

眼を奪ったときのパイロの悲しげな声が、クラピカの脳裏によみがえる。

「そのオモカゲって奴が、クラピカの眼を奪うためにパイロの人形を差し向けたってわけだな」

おそらく、レオリオが最初につかんだ情報――クルタ族の生き残りがいるらしい、というのもオモカゲの罠《わな》だったのだろう。おそらくその男は、レオリオをはじめ不特定多数のハンターのホームコードに匿名《とくめい》の情報を送りつけ、本物の生き残り――クラピカをおびき寄せようとしたのだ。そしてまんまとシャンハにやってきたクラピカの心から、パイロの人形を作り、クラピカを襲わせたのだ。

「たぶんね……◆　彼は収集家《コレクター》だから♠」

収集家《コレクター》というからには、オモカゲの目的はクラピカの緋《ひ》の目だろう。そのためだけにオモカゲは、パイロをクラピカの記憶から蘇《よみがえ》らせ、クラピカの眼を奪うよう命じたのだ。

クラピカの旅立ちを、わがことのように祝福してくれたパイロ。

そんなパイロが、クラピカを襲おうなどと思うはずがない。すべては、オモカゲという男に無理やり操られた結果なのだ。

それは、死んだパイロに対する冒瀆《ぼうとく》以外の何ものでもなかった。

「……そんなくだらん趣味のために私の親友を……！　許さん！　許さんぞ……！」

シーツをつかみ、怒りに震えるクラピカ。

「ボクが交代した際に倒したオモカゲは、彼の人形だったんだ♣」

「貴様……なぜそれを知っていて――」

クラピカがにらみつけるも、ヒソカは相変わらず飄々《ひょうひょう》とした口調を崩さない。

「なぜ殺さずに生かしたか？　その意味がわかるかい？　あんなに楽しめる奴、一瞬で終わらせるのはもったいないからさ♥」

「……悪趣味だな。相変わらず」

ふん、と鼻を鳴らすレオリオ。

「で、ヒソカ。なぜオレたちにこの情報を？」

「そうだな。お前が私たちに協力する理由が見当たらない。……むしろお前がその・オモカゲのスパイだという可能性のほうが高いくらいだ」

ヒソカがこのタイミングで現れ、こちらの欲しい情報をしゃべるというのは都合が良すぎる。

むしろ嘘《うそ》の情報によってこちらの調査を妨害、および監視《かんし》するために敵から送りこまれたスパイだと考えたほうが、まだ納得がいく。

そうやって冷たく言いはなつクラピカに、ヒソカは肩をすくめて答える。

「フフ……警戒されたもんだね♣　ボクはただ、キミに死んでほしくないと思っただけだよ◆」

「死んでほしくない、だと？」

「そう……今キミに死なれると、ボクが本当に戦いたい相手と永久に戦えなくなっちゃうからね♥」

彼が本当に戦いたい相手と言っているのは旅団《クモ》の団長、クロロ＝ルシルフルのことだろう。クロロはクラピカの〝律する小指の鎖《ジャッジメントチェーン》〟によって念《ネン》能力の使用を封じられており、もしクラピカが死ぬようなことがあれば、その怨念《おんねん》が強まり、念《ネン》の刃《やいば》を除念《じょネン》することが非常に困難になってしまうのである。

ヒソカはニヤリと口角《こうかく》を上げ、二人に流し目を送る。

「どうせキミたちは、遅かれ早かれオモカゲとは一戦交《まじ》えるつもりなんだろ？　だったら事前に彼の能力を知っていたほうが、生存確率が上がると思ったからね♠」

「なるほどな……」

ヒソカは病室の窓を開け、月の光を見つめながら言った。

「気をつけるんだね♦　オモカゲは危険な相手だよ♣　キミたちが、ボク以外に食されるのは見たくない……♥」

「き、気色わりぃこと言いやがって……！」

レオリオがつぶやいた頃にはヒソカはすでに窓から飛び去っており、その姿は夜の闇の中へと消えていたのだった。

※

トトリア地区の夜。

田舎町の路上で、ノブナガは鞘に納めた太刀を構え、元・旅団《クモ》の男をにらみつけていた。

男の名はオモカゲ。長い銀の髪に、暗い色の変わった形状の外套をまとった細身の男だ。

どこか陰気《いんき》で線が細い印象を抱かせる男だったが、彼の全身から発せられた、ねっとりとべたつくような不気味なオーラは、キルアに鳥肌《とりはだ》を立たせるにはじゅうぶんなものだった。

――ただものじゃない……！

男はじっと目を閉じ、手のひらの中で何かを転がしているようだった。

「うふふ……どこまでも透明な瞳、闇をたたえた純粋な瞳……そして親友を侮辱《ぶじょく》された怒りに燃える瞳……。どれもこれも素晴らしい……！　君たち三人の眼は、一晩中愛《め》でていたい宝石のようだよ……！」

そう言って男は、手のひらに載《の》せた丸いものに視線を落とした。

――なんだよ、こいつ……！

それは、人間の眼球。

えぐり取られたと思われる人間の眼球を、オモカゲは手のひらの上で愛でるように転がしていたのである。

「ちっ、相変わらず気味の悪い奴だぜ……」

ノブナガはオモカゲのほうへと、にじりよるように間合いを詰める。

――ノブナガのヤツ、こいつが何かおかしな動きをしたら、すかさず斬る気だな……。

傍《かたわ》らのキルアにも、彼の緊張感が伝わってくる。

「てめえ、どの面《つら》下げてオレの前に現れやがった」

怒りをあらわにするノブナガに対し、オモカゲのほうはニヤニヤと気色の悪い笑みを浮かべるばかりだった。

「感謝してもらいたくてね。土の中で肉体を腐らせていただけのウボォーを、こうして蘇《よみがえ》らせてあげたんだ」

オモカゲはおもむろに倒れたウボォーギンの身体に歩み寄り、その首を思いきり蹴り飛ばした。

「――だが、壊れた人形はもういらない」

蹴り飛ばされたウボォーギンの首はその勢いでぐるんと回転してねじきれ、そのまま地面を二、三転した。

すると驚くべきことに、首のなくなった筋肉質の身体は勢いよく収縮《しゅうしゅく》し、三十センチほどの小さなマネキンのような形に変じた。ちぎれた首もまた同様である。手のひら大に小さくなり、髪の毛や顔の凹凸《おうとつ》は消え失《う》せ、表面がのっぺりとしたボールへと変化した。

いまやウボォーギンの獣じみた巨体は、見る影もない。

「てめえ……！」

ノブナガの殺気が、ビリビリと周囲を震わせる。脇で見ているキルアやゴンにも、伝わるくらいのプレッシャーだ。

「ククク、怒りは生きてる証《あかし》だね。だが永遠ではない」

つぶやきながらオモカゲは、その瞼《まぶた》を見開いた。それは、漆黒《しっこく》の闇。

「⁉」

眼球のないはずのオモカゲの眼が輝いた気がして、キルアは驚愕する。

——なんだよ、この不気味なオーラは……！

人の内面を見透かすような、そんな気持ちの悪いオーラに全身が蝕《むしば》まれたような気がする。イルミやヒソカとはまた違ったタイプの悪寒《おかん》だった。

「あれは……⁉」

その瞬間、月光に照らされた周囲の建物の陰《かげ》から不気味なオーラをまとった男たちが音もなく現れた。彼らの眼窩はオモカゲのそれと同じく、底なしの虚無《きょむ》であった。

「陰獣《いんじゅう》どもか」

ノブナガがつぶやく。

キルアやゴンには面識はないが、彼らを囲むのは病犬《やまいぬ》、蛭《ひる》、豪猪《やまあらし》というコードネームを与えられた三人の男たち。彼ら陰獣はかつて、マフィアンコミュニティーの長《おさ》たち、〝十《じゅう》老頭《ろうとう》〟によって組織された戦闘部隊である。幻影旅団との戦いで壊滅《かいめつ》したはずの彼らだったが、こうしてふたたび現れたところを見ると、ウボォーギン同様、オモカゲの人形として操られているのだろう。

「こいつらも人形⁉　操れる人形は一体だけじゃないの⁉」

現れた男たちを見て、ゴンが目を丸くした。

「ああ。オモカゲの念能力《ネン》――他人の記憶の中から人形を作り出して配下に加える能力には、基本的に制限ってモンがない。自身のオーラを人形の素体《そたい》にいったん分け与えさえすれば、あとは本体のオーラとは無関係に半永久的に動き続けるからな……。その気になりゃ、何十体何百体と人形を操ることだって可能なんだ」

まったく、敵に回すと厄介《やっかい》な能力だぜ、とノブナガが鼻を鳴らした。

――厄介どころじゃない……！

キルアは、その気配からすぐに陰獣たちの能力の高さに気づく。マフィア最強の武闘派《ぶとうは》集団だけあって、念《ネン》能力者としてはかなりの手練《てだ》れ。今の自分に敵《かな》う相手なのかわからない。

――一体一体が相当の使い手……！　その気になれば、最強の軍団すら従えることのできる能力じゃねーか……！

得体《えたい》の知れないオモカゲの能力に戦慄《せんりつ》するキルアだったが、一方ゴンは臆《おく》せず、前に進み出てオモカゲをにらみつけた。

「クラピカの眼を奪ったのはお前なのか⁉　もしそうなら、クラピカの眼を返せ！」

声を上げるゴンの瞳を見て、オモカゲはうす笑いを浮かべる。

「ククク、いい眼をしている。君たちのようなまっすぐな瞳は〝彼女〟に適合する可能性があるからね……。やはり、君たちの眼は私のコレクションに加えねばなるまいね」

そう言って、オモカゲは陰気な笑みを浮かべる。

「コレクションって……。オレたちの眼も奪い取るつもりなのか⁉」

「そうだ。できれば今すぐにでもその眼を奪い取ってやりたいところだが――」

言いながらオモカゲは、月光でできた自分の影に飛びこんだ。

「――メインディッシュを奪う手はずはまだ整っていないのでね……。ここは退却《たいきゃく》させてもらうことにしよう」

影はまるで深い井戸の水面のように本体を受け入れ、オモカゲの身体は闇の中に沈んでいった。

――何かの念能力《ネン》か……⁉

「あっ⁉　待て！」

消えていくオモカゲに追いすがろうとするゴンだったが、目の前に突然現れた男によって遮《さえぎ》られる。

「うわっ⁉」

地中からにゅるにゅると蚯蚓《みみず》のように身体をくねらせて這《は》い出てきた異形《いぎょう》の男が、突如、ゴンに襲いかかったのである。

——地中を自在に移動する能力……⁉　陰獣の伏兵《ふくへい》がいたのか！

とっさにゴンのもとに助けに入ろうとするキルアだったが、ふと、敵の動きがおかしいことに気がついた。目には見えない何かに縛《しば》られたように、動きを止めていたのである。

突然「ウゲエエエエエ！」と悲鳴を上げる蚯蚓《みみず》男。

——何が起こった……？

見れば、ようすがおかしいのは他の陰獣も同様だった。空中に首吊《くびつ》り状態で動きを止め、苦悶《くもん》の表情を浮かべている者もいた。

「これ、念糸《ネンシ》だ！」

ゴンが叫ぶ。

〝凝《ギョウ》〟を使って目を凝《こ》らしてみると、どうやら彼らの身体は念《ネン》で作られた細い糸によって絡《から》めとられているようだ。

「ってことは……⁉」

キルアとゴンがあたりの気配を探ってみると、自分たちの後方に念糸を操る女性の姿。

ポニーテールの旅団《クモ》員——マチである。

「チッ、余計な真似を……」

舌打ちしつつ、ノブナガは太刀を振るう。

「――――!?」

動きを封じられた陰獣たちを瞬《また》く間《ま》に斬り伏せ、ノブナガは刀を鞘に納める。斬られた瞬間、陰獣たちの身体は生気を失ったように動かなくなり、糸による緊縛《きんばく》が解け地面に落ちると、小さなのっぺらぼうのマネキン人形と化した。

「他愛《たあい》ないね」

とマチ。

先ほどのウボォーギンしかり、どうやらオモカゲが操る人形は破壊されると、このようなマネキンに戻るらしい。このマネキンが死者の人形の正体――先ほどノブナガが言っていた素体というものなのだろう。

「オモカゲの野郎……」

ノブナガは、ウボォーギンだった素体の横にひざまずくと、地面に転がった眼を丁寧《ていねい》に布に包んで懐《ふところ》に入れた。

「あいつ、ウボォーの墓を暴《あば》いて眼を奪いやがった……。人形にしていいように操ったあげく、首までねじきって……。奴は死者を冒瀆しやがったんだよ……。つまりは……オレのダチを……」

無表情な顔で言うノブナガ。だがそれは、悲しみと激しい怒りとがないまぜになったような声色《こわいろ》だった。その背中は、声をかけることさえためらわれる。

マチは「行くよ」と一言だけ吐き捨て、歩き去っていった。

「おめえらもオモカゲを追ってるようだが、あんまりオレらの前をうろちょろすんなよ。あいつにかかわると、死ぬぜ……」

それは、ゴンとキルアに対しての忠告だったのか、気遣《きづか》いだったのか。

そして、マチを追いつつ、ノブナガは独《ひと》り言のようにつぶやいた。

「旅団《クモ》のケリは、旅団《クモ》がつける」

第3章

翌日。

ウボォーギンの強襲《きょうしゅう》から逃げのびたレツとは合流できたものの、三人の泊まっていたホテルは戦闘によってすっかり瓦礫《がれき》と化してしまっていた。崩《くず》れたコンクリの中から運よくレツの人形だけは無事に発見することができたが、その他の持ち物や衣服は使い物にならなくなっていた。

「なんか恥《は》ずかしいな、今さらこんなの……」

町の洋服屋の店先。

フリルのついたスカートを翻《ひるがえ》しながら、レツが恥ずかしそうに顔を赤らめる。長い髪には、鮮やかな色のカチューシャ。レースとリボンをふんだんに使ったワンピース姿だ。以前のラフな姿とは違い、まるで良家の子女《しじょ》のように華《はな》やかな印象であった。鏡の前ではにかむレツは、正真正銘《しょうしんしょうめい》の〝女の子〟に見える。

「うーん♡　ベリーエクセレントね！　これだけナイスな素材だと、スタイリスト魂《だましい》にもひさびさに火がついちゃったわぁ〜！」

喜びの声を上げているのはスタイリスト兼《けん》店主の小太りの中年女性だ。可憐《かれん》なレツの姿に、興奮《こうふん》を覚えているようだった。

「とっても素敵《すてき》よ！　マドモワゼル！　まるでお人形さんみたい～！」

「……えっ？」

店主の〝お人形〟という言葉に当惑《とうわく》の表情を浮かべるレツ。

そんな彼女の顔色を察してか、ゴンが無邪気に微笑《ほほえ》みかけた。

「いいじゃん、似合ってるよ」

かく言うゴンこそが、寝間着《ねまき》姿のままホテルを脱出した彼女のことを気遣《きづか》って、このブティックに連れてきた張本人なのである。

――ゴンって、意外に女の子の扱《あつか》い上手《うま》いんだよなー。

鏡の前で笑い合う二人を見て、キルアはため息をつく。

「そんなこたぁどーでもいいからさ、早く教えろよ、レツの心当たりって場所」

服選びよりもオモカゲを何とかするほうが先決。場所だけ彼女に聞いて、あとは自分たちだけで探したほうが手っ取りばやい――。キルアはそう説明したのだが、

「うるさいな！　今案内するよ！」

レツは不機嫌そうにキルアに突っかかってくる。

「あのなあ、オレたちと一緒じゃまた危険な目に遭《あ》うって言ってるだろ！」

「だいじょうぶだよ！」

レツは、頑《がん》として譲《ゆず》らない。

「死ぬかもしんねえんだぞ⁉」

「何も……始まらないよりはいい」

——はあ？　何言ってんだ、こいつ……。

眉《まゆ》をひそめるキルアに、レツは意味深な表情を浮かべる。

「最近思うんだ。僕はちゃんと毎日を生きてない。〝本当〟を生きる日はいつやってくるんだろうって」

——〝本当〟を……？

レツが何を言いたいのかよくわからない。ゴンもまた、きょとんとした表情で黙って彼女の話を聞いているようだった。

「ゴンやキルアといると、何かが始まりそうな気がするんだ」

不可解なことを言うレツに、ゴンも首をかしげていた。

「……何かが始まる……？」

キルアは舌打《したう》ちしつつ、「……ちょっと」とつぶやいてゴンを店の外に連れ出す。

通りに出て、すぐ路地裏《ろじうら》へ。店の中のレツには聞こえないように耳打ちした。

「……あんまりレツを信用するな。やっぱなんかあやしい。言ってること意味不明だし」

「そうだね、……でも」

ゴンは腑《ふ》に落ちないと言った表情で、何かを考えこんでいるようだ。

「でもって何だよ」

「レツの心の奥には、もっと何かあるような気がするんだ。……だからもうちょっとようすが見てみたくて……」

「……裏切られるのがオチだぞ」

どこまでも人のいい親友に対し、キルアがため息をついたそのとき。

心の中で声が響いた。

〝お前は友達を裏切る〟。

「!?」

それはかつて、兄《イルミ》に言われた言葉。

呪縛《じゅばく》のように植えつけられた言葉が繰り返し頭の中に響き、キルアの心臓を早鐘《はやがね》のように鳴らした。

——くそっ、どうして今、こんなことを思い出すんだよ……！

※

店の中にいたレッツは、外で言い合っているゴンとキルアのようすをそっと見ていた。話しているうちに、少しキルアの顔色が悪くなっているのがわかる。

レッツの眼《め》が、あやしく輝いた。

「〝俤人《ソウルドール》〟」

レッツの抱いていたピエロ人形が、腕を離れ地面に降り立つ。すると人形は、繰《あやつ》り糸もなしに、まるで生きているかのように動き出したのだった。

かちゃかちゃと歩き出し、店の外へと向かうピエロ。

そしてそのまま誰にも気づかれることなく、そっとキルアの影の中へと沈んでいった。

※

心の中に現れたイルミの幻影《げんえい》に対して、強く念じるキルア。

——オレは裏切らない……！

頭の中に何度も響き続ける兄の声に心が折れないように、キルアは必死で抗《あらが》った。たとえ自分が血塗《ちぬ》られた過去を背負っていようとも、目の前にある光だけは守る。

——絶対に、友達は裏切らない……！

「どうしたの？　大丈夫？」

気づけば、ゴンが不思議そうな顔をしてこちらを覗《のぞ》きこんでいた。

心配ねーよ、と答えようとしたキルアだったが、そのとき路地の入口のほうから声がかけられる。

「キルア」

振り向けばレツが、真剣な面持《おもも》ちでキルアのほうを見ていた。

「僕のこと、信じてくれないか？」

近づいてくるレツを見て、キルアは眉をひそめた。

——なぜこいつは、ここまでオレたちにこだわる？

疑念は膨《ふく》らむが、ゴンの手前、邪険《じゃけん》に扱うこともできない。キルアは、無言のまま彼女に先を促《うなが》した。

「ゴンとキルアは友達の眼を奪い返すために頑張ってるんだろ？　僕も手助けがしたいんだ。ゴンとキルアの友達として」

——友達だと思ってくれているなら、信用しなくちゃならない……とは思う。

けど、なんかこいつは——。

「案内したら、僕はすぐに立ち去るよ。それなら問題ないだろ？」

「他に手がかりもないし、とりあえずレツの言う場所に行ってみようよ」

隣のゴンは、あっけらかんとキルアに微笑みかける。

「……わかったよ」

ゴンにも言われ、しぶしぶ折れるキルア。

――オレの考えすぎなのか……？

「じゃあ、行こう。こっちだ」

レツがほっとしたように微笑み、歩きだした。

キルアもため息を一つついて、ゴンと一緒にレツの後ろについていく。

しかしこのとき、キルアは気づいていなかったのである。

レツが、先ほどまで抱いていたはずのピエロの人形を持っていないことに。

そして自分の背後――キルアの〝影〟が徐々《じょじょ》に変質し、恐るべき人形へと姿を変えつつあったことに。

※

一時間ほど荒野を歩くと、町や集落からも離れ、さらに辺鄙《へんぴ》な場所にたどり着いていた。

「あれだよ」

レツが指さしたのは、林の中にたたずむ、一軒の不気味な洋館。近くには墓地もあり、昼間だというのに人っ子一人いない薄気味悪いところである。

柱や壁のあちこちが朽《く》ちており、ガラスの破れた窓も多いから、すでに廃墟《はいきょ》となって久しいのだろう。壁はところどころツタが這《は》ったり苔《こけ》むしたりしており、とうてい人が住んでいるとは思えなかった。

「なるほど……。いかにも、って感じだな」

しかし、〝凝《ギョウ》〟で目を凝《こ》らすと、建物の周りに、かすかにオーラの気配が残されているのがわかる。それはつい最近まで、誰かがこの建物の中に潜《ひそ》んでいたことを示していた。

「あの窓からならクラピカが見た風景とも一致するね」

「だな」

洋館の二階の窓を見上げる。あの位置から平原のほうを見れば、左手に大きな穴の開いた山、右手に川が見えるはずだ。レオリオの手書きの風景イラストと照らし合わせてもほぼ間違いないい。

「レツ、ありがとう。ここまででいいよ」

手を振るゴンに、レツが食いさがる。

「でも、僕だって少しは役に――」

「いや、ハッキリ言って足手まとい」

歯《は》に衣着《きぬき》せぬキルアの言い方に、レッツが頬《ほお》を膨らませる。

「何だよ！　僕が案内してやったんだろ⁉」

言い争いを始めるキルアとレッツに苦笑しながら、ゴンがあわててフォローを入れた。

「そういう意味じゃなくてさ。万が一怪我《けが》でもしたらいけないってことだろ？　人形作りに影響がでるかもしれないし。……ね？」

ゴンの説得にレッツも納得したのか、彼女は「わかった」とうなずいて引き下がった。

これからクラピカの眼を取り戻さなければならないというのに、こんなところで揉《も》めている場合ではない。

二人の仲裁《ちゅうさい》に成功してほっとするゴンに、レッツの少し照《て》れたような声がかけられる。

「……なんかいいもんだな」

「え？」

「ずっと男のふりをしてたから、こんなふうに優しくされるの初めてで……」

はにかむレッツに、ゴンも微笑みで応《こた》えた。

「……ゴン、何やってんだ、行くぞ！」

レッと話しているうちに、キルアが先に歩きだしていた。うなずき返し、あわててキルアの後を追うゴン。

「気をつけてね、ゴン！　……ついでにキルアも」

「ついでかよ」と、仏頂面《ぶっちょうづら》のキルアが舌打ちする。

振り返ってレッツに手を振るゴンだったが、そのときの彼女の瞳《ひとみ》は、どこか寂《さび》しげな色をたたえているように思えたのだった。

※

扉を開けると、淀《よど》んだ空気がゴンとキルアを出迎えた。屋敷の中に人気《ひとけ》はなく、埃《ほこり》を被《かぶ》った壺《つぼ》が無造作《むぞうさ》に転がっていたり、蜘蛛《くも》の巣の張った棚《たな》がいくつか倒れていたりするようすが目に入る。

かつては上等だったと思われるカーペットも、汚れていて見る影もない。古い暖炉《だんろ》は煤《すす》けたまま放置されており、残留したオーラがなければ、どこからどう見てもただの廃墟であった。

破れたカーテンから射《さ》す光を頼りに、洋館の探索《たんさく》を始める。敵《オモカゲ》に悟《さと》られないよう、〝絶《ゼツ》〟で気配を消しつつ、慎重に歩くゴンとキルア。

入口からまっすぐ進むとホールがあり、二階へと続く大階段があった。

（クラピカがあの風景を見た場所は、二階……）

ゴンが目線でキルアに問う。

あのときクラピカは、階段を誰かに抱かれて上る光景を見たと言っていた。だとすれば、探すべきクラピカの眼は、この上の部屋にあると考えていいだろう。

キルアがゴンにうなずき返し、二階へ。

「……⁉」

二階の部屋の前で、二人が足を止める。

――誰かいる⁉

扉の向こうに、何者かの気配があるのだ。昨日のオモカゲのオーラとは少し違う、禍々《まがまが》しくも強烈な存在感。

ゴンとキルアは視線を交わし合い、無言でうなずくと、そっと扉を押した。

ギィ、と鈍《にぶ》い音を立てて開いた扉の向こうには、こちらを背にして、窓に向かって椅子《いす》に座る人影が見えた。

身構えるゴンとキルア。

「だ、誰……？」

その人物の首がカカカカと音を立てて、ゆっくりとこちらを振り向きはじめる。

——あれは、人形……？

次の瞬間。突然首が百八十度後ろを向いた。

「!?」

驚いたのは、その人間ではありえない挙動に——ではない。

人形の首が、キルアのよく見知った人物と同じ顔をしていたからだ。

「お前は!?」

「あ、兄貴……!?」

背中まで届く長い黒髪。無機質な表情。衣服に幾本《いくほん》も突き刺さった大小様々な針。まとうオーラは冷酷なまでに刺々《とげとげ》しく。

そこにいたのはゾルディック家の長兄——イルミであった。

ゾルディック家の中でも超一流、冷酷無比《れいこくむひ》な暗殺者であり、キルアに幼少の頃から、暗殺技術と歪《ゆが》んだ愛を叩《たた》きこんだ張本人である。

そして、キルアにとっては歯向《はむ》かうことのできない絶対の存在。

——な、なんで兄貴がここに……!?　まさかオレを追って……!?

後ずさるキルアに、ゴンが声をかける。

「キルア、落ち着いて！　あれは人形だよ！」

見開いた目の中は闇《やみ》。昨夜の陰獣《いんじゅう》たちの人形と同じように、本来眼のある場所には何も存在していない。おそらくオモカゲの作る人形には、最初から眼だけが欠けているのだろう。

個々人の念《ネン》能力は、心のありようによってその形が変わる――。

この眼なしの人形は、オモカゲの、他人の眼を追い求める収集家《コレクター》としての心理を反映したものなのだ。

「わ、わかってる……けど……！」

そう、これは人形。いくら兄と同じ姿をしているとはいえ、ただの木偶《でく》なのだ。

この屋敷でイルミの人形が待ちかまえていたということは、自分たちはいつの間にかオモカゲの罠《わな》にはまってしまったということになる。

――だったら一刻《いっこく》も早くこの人形をなんとかして、館《やかた》から脱出しなきゃなんねーのに
……！

しかしキルアは動けない。

目の前にいるこの人形の姿形が、幼少時からもっとも畏《おそ》れていた相手と同じだったから。

兄に逆らうことはできないと、自分の本能が告げているから。

イルミが椅子から立ち上がり、首の角度を元に戻しながらこちらに近づいてくる。

「オレの眼は闇しか映さない。……だからキル、お前の眼をもらえってさ」

その何もない眼窩《がんか》が、キルアを容赦《ようしゃ》なく見下ろした。

「………」

だが、今のキルアには近づく兄から視線をそらすことしかできない。

〝でもさ。ほんのわずかだけど、心が揺らいだんだろ〟。

先日、クラピカに言った自分の言葉を思い出す。

心が揺らぐなんてなまやさしいもんじゃない。自分の記憶を突きつけられることが、こんなに耐《た》えがたいものだなんて――。

「そう、いい子だ、キル。お前はオレに逆らえない。……そのままじっとしているんだ」

ぐっと握り拳《こぶし》を作ってうつむいたまま、兄の言いなりになろうとするキルア。

そんなキルアの耳に響いたのは、親友の勇敢《ゆうかん》な声だった。

「そんなことさせるか！」

「………」

気がつけば、硬直するキルアを守るように、ゴンがイルミの前に立ちはだかっていた。

無表情のまま、立ちふさがるゴンを見下ろすイルミ。この兄の闇の眼には、ゴンはただの障害物程度にしか映っていないのだろう。

「やめろ……！　ゴンには手を出すな……！」

「いつもは家族のことを最優先に考えるオレでも――オモカゲの指示には逆らえない」

キルアの言うことなどまるで無視するかのように、イルミは懐《ふところ》から数本の針を取り出した。操作《そうさ》系の念《ネン》がこめられた針だ。あれが身体《からだ》に突き刺されば、イルミの思うがままに肉体を操作されてしまう。

「邪魔はしないほうがいいよ」

イルミは蔑《さげす》むように言うと、その針を数本、たかる虫を追いはらうかのようにゴンに向かって投げつけた。

「うわっ!?」

間一髪《かんいっぱつ》でよけるゴン。なんとか身体に突き刺さるのは免《まぬが》れたようだが、二、三本が服に突き刺さってしまった。

「くっ……！」

今やゴンの身体は、ピンで留められた標本のように壁に固定されてしまっている。

「ゴン!?」

動けないゴンを見て、イルミがため息をつく。

「オレの忠告を破って友達を作ったんだね、キル。……あれほど言ったのに……友達を作ればば裏切られるだけだって」

——そんなことない！　ゴンは、絶対にオレを裏切るなんてことはない！

心の中で必死に否定するキルアだったが、なぜかそれを口に出すことはできなかった。

「それとも、お前が裏切るつもりで友達を作ったのかい？」

イルミの深い闇の眼が、キルアを覗きこむ。

「ち、違う……！」

やっとのことで声を絞《しぼ》り出す。

——今すぐ、こいつの口を黙らせないと……！

握り拳《こぶし》を作るキルアだったが、それを振りあげることが、どうしてもできなかった。

「お前はオレには逆らえない。口を酸《す》っぱくして教えたからね。——勝ち目のない敵とは戦うなって」

——確かに、今のオレじゃイルミには勝てない……！　そうだ、いったん退《しりぞ》いて態勢を……。

踵《きびす》を返し、階段のほうへと駆けだすキルア。

しかし、その背中にかけられたのは、心底侮蔑《しんそこぶべつ》するような兄の一言であった。

「ほ・ら・逃・げ・た・」

その言葉に、キルアはびくり、として立ち止まる。

「でもそれでいいんだよ。たいせつな友達を置いて逃げるなんて、最低の行為だけど……それが正解」

キルアには何も言い返せない。

――今、オレはゴンを置いて逃げようとしていた……？

「うるさい！　やめろ！」

壁に磔《はりつけ》にされたゴンが怒りの声を上げたが、イルミの耳には入らないようだ。

「――やっぱりオレの言うとおりだったね。お前には友達を作る資格はない」

「……!?」

――オレには、友達を作る資格がない……？　ゴンの友達でいちゃいけない……？

キルアの肩が震える。

「……このっ！」

ようやく壁に突き刺さった針を抜いたゴン。

「キルアに謝れ！」

そのまま勢いをつけ、イルミに背後から飛びかかる。

だがイルミは即座に反応し、振り向きざまにゴンに蹴《け》りを放った。

「ぐふっ⁉」

ゴンの鳩尾《みぞおち》に、イルミの爪先《つまさき》が叩きこまれる。

そのまま吹き飛ばされ、背後のガラス窓を突き破るゴン。ガシャン、という大きな音とともに、ゴンの身体は建物の外へと落下した。

「ゴン！」

窓のほうへと駆け寄ろうとするキルア。

しかし、目の前には立ちはだかるようにしてイルミがこちらを見下ろしているのだ。

「どこに行くんだい？　まさか友達を助けに……とか言わないよね？」

イルミににらみつけられ、動けなくなるキルア。

「くっ……！」

顔をそらし、階段へと向かった。

――オレは、なんて弱いんだ……！

玄関を飛び出し、大まわりに屋敷の裏へ。

二階の窓の下の庭では、落下したゴンが血を吐きながらうずくまっていた。身体のあちこちに砕《くだ》け散ったガラスが刺さっており、見るからに痛々しい。

「大丈夫か⁉　ゴン！」

駆け寄るキルアに、ゴンが応える。

「蹴りが……全然見えなかった……」

立ち上がるのがやっと、というほどのダメージだ。ゴンの深手《ふかで》に、キルアは自分と兄との力量差をまざまざと実感させられる。

「茶番《ちゃばん》だね……。どうせお前は友達を裏切るのに」

背後から聞こえてきたのは、イルミの声。

ゆっくり歩いてくるあたり、いつでもこちらを倒せるという余裕の表れなのだろう。

「──そしてキル。お前はいつかその友達を……殺す」

「そんなこと……ない！」

兄に向かって、必死に声を絞り出すキルア。

「じゃあオレを殺せ。殺さないとオレがそいつを殺すよ」

「えっ……⁉」

この兄は、本当にゴンを殺すつもりなのだろうか──。キルアはやっとの思いでイルミをにらみつけた。

4

PHANTOM
ROUGE

——ビビるな。こいつはただの人形だ。勝てる……。

そう思う一方、キルアの心には大きな不安が渦巻《うずま》いていた。

——でもノブナガが言っていた。兄貴と同じ念《ネン》能力をオモカゲが持っていたら、人形は兄貴と同じ強さ……。それでも勝てるのか？　オレが兄貴に……？

思考が混乱し、キルアはイルミへの攻撃に踏みきれない。

「ほら……早く……オレを殺しなよ」

イルミがゆっくりとキルアに近づいてくる。吐息《といき》がかかるほどの距離だ。

——これだけ近ければ、いつでも殺《や》れる……！

しかしそれは、相手にとっても必殺の間合《まあ》い。つまり今は、イルミもその気になればいつでもキルアを殺せる状況にあるのだ。

——いや、オレが殺られるのか……!?

押しつぶされそうなほどの圧倒的なオーラが、すぐ目の前の兄から発せられている。それを認識したキルアは、一寸《いっすん》たりとも身体を動かすことができなくなってしまっていた。

「キル」

突然兄に両手を差し出され、キルアは驚きのあまり硬直してしまう。イルミはそのままキルアの両肩に手を乗せ、がっしりとつかむ。

――ダメだ。勝てない……。

そんなキルアの内心を見透《みす》かしたように、イルミが無表情にうなずいた。

「正解だ。勝てない敵とは戦うな」

イルミはキルアを見据《みす》えると、その眼窩の闇から、念《ネン》のオーラをキルアの眼に向けて照射した。

「〝魂呼ばい《タマヨバイ》〟」

イルミから放たれた幾本《いくほん》ものオーラの糸が、キルアの眼に絡《から》みつこうとしたその瞬間。

「やめろおおおおおっ！」

横合いからゴンが飛びこんでくる。

「!?」

突き飛ばされるキルア。漆黒《しっこく》の念《ネン》のオーラは、キルアと入れ違いにゴンの眼に向けて照射されてしまった。

「うっ、うわあああああああああ!?」

叫び声を上げるゴン。ゴンの眼が、オーラによって顔から引き抜かれ、イルミのもとへと運ばれていく。

「入ったのはゴンの眼か……」

いまやゴンの眼はイルミの眼孔《がんこう》に納まっていた。その眼が、倒れ伏したゴンを見ていた。

「ううう……」

「ゴン⁉」

目を閉じたまま地面に横たわるゴン。まるで生気《せいき》までもが奪われたように、身体を包むオーラの量が激減していた。

「指示とは違うけど、これもいいね。世界が輝いて見える」

笑みを浮かべるイルミの顔を見て、キルアは茫然《ぼうぜん》と膝《ひざ》をつく。

――オレ、何やってんだ……。

そのときキルアの耳に聞こえてきたのは、少女の声だ。

「ゴン！　しっかりして！」

物陰《ものかげ》にでも隠れていたのだろうか。気がつけばレツがゴンに駆け寄り、介抱《かいほう》している。

「そうだ、オレ、ゴンを……」

しかし友人のほうへと向かおうとするキルアの頭の中に、またしてもあの呪縛《こえ》が響きわたった。

〝お前には友達を作る資格がない〟。

何度も兄に言われた台詞《せりふ》に、キルアの足が止まる。うつむくキルアだったが、

――せめて……ゴンの眼を取り返すんだ……！

ゴンのそばにいられないなら、せめて自分がイルミから眼を取り戻す。それが自分にできる唯一《ゆいいつ》の罪滅《つみほろ》ぼしなんだ――と、決意を固め、キルアはイルミに向き直る。

しかし、キルアが顔を上げたとき、その視界に兄の姿はなかった。

「指示が変わった。オモカゲがこの眼を持ち帰れってさ」

声が聞こえてきたのはキルアのすぐ背後。

とっさに振り向こうとした瞬間、強烈な蹴りがキルアの背中に浴びせられた。

「げはっ⁉」

念《ネン》のガードをすることさえできずに、キルアの身体は前方に吹き飛ばされ、庭の地面を二転三転する。

「じゃ」

感情のこもらない声でつぶやくと、イルミは姿を消した。

今のキルアでは、イルミを追跡《ついせき》することさえできないだろう。

「ゴン⁉　ねえ、だいじょうぶ！　ゴン！」

吹き飛ばされたキルアの眼に映るのは、ゴンを必死に介抱するレツの姿だった。

――レツ……。

ゴンのために叫ぶレツ。比べてオレは、いったい何をした……？

――〝あんまりレツを信用するな〟。〝裏切られるのがオチだぞ〟。

ゴンに向かってそんな台詞を言っていた自分が、ひどく情けなく思える。

――裏切ったのはオレのほうじゃねえか……。ウボォーギンに襲《おそ》われたときも、兄貴に眼を奪われそうになったときも、ゴンはオレを庇《かば》ってくれたのに……！　オレは……！

今ゴンが倒れているのは、すべて自分のせい。

自分さえいなければ、こんなことにはならなかったのだ。

――兄貴の言うとおりだ……！

キルアはゴンたちに背を向け、その場を駆けだす。

「キルア！　どこ行くの⁉」

後ろから聞こえるレツの声にも、キルアは振り返らない。

――オレには……ゴンの友達でいる資格がない……！

灰色の空の下、キルアは一人駆けて行く。ただ闇雲《やみくも》に、当てもなく。

どうせ自分には、もう居場所なんてないのだから。

※

町には、雨が降りはじめていた。

一面の暗い空から落ちる大粒の雨が、とぼとぼと歩くキルアの肩を濡《ぬ》らしている。ほとんど光が射《さ》さないうす汚い裏路地《うらろじ》を、キルアは何の目的なく、ただ歩いていた。

ゴンたちのところを逃げだしてから、もう何時間経《た》っただろうか。

眼を奪われたゴンのことは気がかりだったが、たとえ一緒にいたとしても今の自分には何もできない。そんな心配をする資格さえ、今の自分にはないのだ。

「………?」

ふと、ポケットに手を入れると、指先に何かが当たった。取り出してみると、それはゴンから預かったハンター証《ライセンス》。

——そう言えば、あいつと初めて会ったのはハンター試験のときだったな。

ただ好奇心だけで参加したハンター試験。

一次試験で出会ったのは、自分と同じくらいの子供だった。

「最初は同い歳ってだけで話しかけてたけど、オレと同じくらい運動能力があって……」

マラソンで何人もの受験生が脱落する中、余裕で自分についていきていたし、飛行船の中でのボール勝負でも、自分以上に会長《ジイサン》をてこずらせていた。

「ただの甘ちゃんだと思ってたのに、いつもまっすぐで……オレとは正反対で……」

三次試験《トリックタワー》の最後の多数決でも、メンバー全員で殺し合う危機を回避《かいひ》できたのは、ゴンの発案があったからだった。そして試験の後、兄《イルミ》に心を折られた自分を、ゾルディック家《ククルーマウンテン》まで迎えに来てくれたのもゴン……。

それからはずっと一緒だ。

天空闘技場で念《ネン》の修行をしたり、幻影旅団《げんえいりょだん》に命がけで挑《いど》んだり……。

「いつの間にか、オレにとって、かけがえのない友達になって——」

気がつけばその頬《ほお》には雨に混じって、熱い雫《しずく》が流れていた。

——なのにオレは、アイツを裏切って……。

うつむいて歩くキルアの肩が、汚れた身なりの男の身体に当たる。

「ヒック……！　おいこら、てめえ。ぶつかっておいて何の挨拶《あいさつ》もなしかコラ」

——オレって……最低だ。

酒瓶《さかびん》を持った男が、キルアの肩をつかんだ。

「オラ、ガキ。社会のルール教えてやるよ！」

突然男の振りあげた酒瓶が、キルアの脳天《のうてん》を直撃する。甲高《かんだか》い音とともに瓶《びん》が砕《くだ》け散り、アルコールの液体が、髪にかかった。

「……っ！」

雨に混じった酒の匂《にお》いが、つんと鼻につく。

しかし痛みはない。

憂《う》さ晴らしをしても良さそうな人間を見つけたことで、キルアの心は黒い歓喜《かんき》に満ちていた。そのことに気づいてしまったからだ。

「って……え？」

酔っ払いが、こちらの眼を見て息をのむのがわかった。おそらく、今の自分の表情は、昔のものに戻っていることだろう。

「……オレにはもう、守るものなんてないから」

キルアの右手が人を殺すための魔手《ましゅ》へと姿を変える。

父や兄に叩きこまれた殺人技術。友達《ゴン》を失った自分に残されたのは、もはやこれだけなのである。

――結局、兄貴の言うとおり、オレはこっち側の人間なんだよな。

「ひいっ⁉」

悲鳴を上げるこの首に、魔手を突き刺すだけ。それだけで、簡単にこの酔っ払いは死ぬ。

人を殺して、殺しつづけて、ただそれだけを繰り返すのが自分の存在理由。その他《ほか》には何もない。何も願ってはいけない。誰かを裏切り、傷つけるだけなのだから。

だったら――。

そう思ってキルアが魔手を振りあげた刹那《せつな》、

「ダメだ！　キルアーッッッ！」

心の奥底でいちばん願っていたその声が、聞こえた。

「ゴン⁉」

突然キルアの背中に飛びかかってきた親友。

そのまま身体を抱きしめられ、振りあげた手を押さえられてしまった。

「あ、オレ、今……」

はっとして、自分の状況に気づくキルア。

――今自分は、何をしようとしていた？

「あ、ひぃ……！　……わ、悪かったよ……！　オレが悪かった……！」

酔っ払いは腰を抜かしながら後ずさると、そのまま裏路地の奥へと逃げ去ってしまった。

「キルア、だいじょうぶ？」

「あ、ああ……」

振り向くと、そこには笑みを浮かべるゴンがいた。奪われた眼の応急処置のつもりなのだろう、顔にはボロ布が巻かれていた。

「ホントに？　すごい音がしたけど」

そう言って、こちらの殴《なぐ》られた頭の傷を心配してくれる。

「いや、そんなことより、今オレ、あのオッサンを……」

「ヤケになるなんて、キルアらしくないよ」

実にあっさりと、ゴンはそう言った。そう言っただけだった。

「ああ、うん……。って、そんだけかよ。オレ、人殺そうとしてたんだぞ……？　昔みたいに……」

――オレは兄貴の言うとおり、人殺し以外の何者でもないのかもしれないんだから。

「昔のキルアは関係ないよ。今のキルアは、今のキルアでしょ？」

にこり、と微笑むゴン。

――ああ、そうか。こいつは……。

ゴンは、こちらを信じているのだ。たとえどんな過去があろうとも、ゴンは今のキルアを疑うことはない。

そんな奴だからこそ、自分はゴンと友達になれたのだ。

眼を奪われたというのに、こんなところまでわざわざ自分を探しに来てくれたのも、実にゴンらしい。

「ゴン、それよりお前、視《み》えない眼でどうやってここまで……?」

「キルアの匂いを追ってきたんだよ。オレの鼻の良さなら知ってるだろ? 雨のせいで苦労したんだから」

そうやってにこり、と笑うゴンを、キルアはまともに見ることができなかった。

「でも、オレ……。お前を裏切ったのに……」

キルアの言葉にきょとん、と首をかしげるゴン。

「裏切る? なんのこと? キルアがオレを裏切るわけないじゃん」

「お前を見捨てて逃げようとしたし――」

イルミとの戦いの中で、磔《はりつけ》にされたゴンを救おうともせず、キルアは敵に背を向けたのだ。そんな自分が今さらゴンに顔向けできない。

「見捨ててないよ! ちゃんと戻ってきてくれたじゃん!」

「でも……」

「それにオレ……キルアになら裏切られてもいいよ!」

力強い口調で言うゴンに、キルアは「え?」と顔を上げる。

「それでもオレは、キルアを信じる!」

視えないはずの眼で、ゴンはしっかりとキルアのことを見つめていた。

「ゴン……」

袖《そで》で涙をぬぐうキルア。

――オレのこと、とことん信じてくれてるんだな……。オレもお前のこと、とことん信じていいんだよな……？

「わ、わかったよ……」

ようやくキルアはゴンの顔を見て、笑みを浮かべることができた。自分を信じると言ってくれた親友を、放りだすなんてことは二度としない――。

「ん？　ところでレッツは？」

「さあ……キルアを追いかけて全力で走ってきたから――」

「そっか」

あれだけこちらに執着していた彼女が、目の見えないゴンを放っておくとも思えない。

さっきの館のあたりで待っているのだろうか、とも思ったのだが、

「今ごろはオ・モ・カ・ゲのもとに戻ってるんじゃないかな」

「え？」

突然ゴンの言いはなった台詞に、キルアは驚きを隠せない。

「オレ、レッツと出会ったときから変だなって思ってたんだ。表情とは裏腹《うらはら》に、いつも悲し

い眼をしてたから……。あの眼は、レツの眼じゃないと思う」

確かに、レツに対してはキルアも違和感《いわかん》を感じてはいた。

「じゃあ、その眼の本当の持ち主が……」

「たぶんオモカゲ。じゃないとキルアの心からイルミの人形を作りだせないよね」

レツはオモカゲの手の者だったということか。

オモカゲは最初から自分たちとレツを一緒に行動させて、こちらの心の隙間《すきま》に入りこむつもりだったのだ。そして自分はまんまとオモカゲの策《さく》にハマり、イルミの人形によってゴンの眼を奪われてしまった……。

ちっ、と舌打ちするキルア。やはり彼女に対して最初に感じた疑念は正しかったのだ。

「くそ……。オレがもっとしっかりしてりゃ、ゴンも眼を奪われなくてすんだのに……！」

ううん、とゴンは首を振る。

「これでいいんだ。オレの眼に宿《やど》らせた念《ネン》をたどれば、オモカゲのアジトに行けるし」

「はあ⁉」

キルアは、ゴンのその突飛《とっぴ》な言葉に開いた口がふさがらなかった。

「お前まさか、それも計算に入れて自分の眼を⁉」

「うん！」

うなずくゴン。

「なんでそんな無茶すんだよ！」

前々から感じていたが、この親友には目的を果たすためには我が身を顧《かえり》みないところがある。誰より強固でブレない精神力を持つがゆえに、身を危険にさらすことを躊躇《ちゅうちょ》しないのだ。

だからこそ、危うい。

キルアが頭に血をのぼるのを抑えられないでいると、背後からそれに同調する声がかけられた。

「――まったくだぜ！」

振り向くとそこには、傘《かさ》をさしたレオリオが、笑みを浮かべていた。

傍《かたわ》らには眼に包帯を巻いたクラピカも一緒だ。

「レオリオ!?　それにクラピカも!?」

「ようやくクラピカの身体も回復したからな。ゴンの携帯のGPSを頼りに、この町に来たってわけさ」

明るい表情で言うレオリオ。

「クラピカ、もうだいじょうぶなの？」

「ああ。心配をかけたな。念能力《ネン》が使える程度にさえ体力が回復すれば、傷自体を治すのはたやすいんだ」

そう言ってクラピカは、右手親指に鎖《くさり》を具現化《ぐげんか》してみせた。先端に十字架のついたその鎖は、自己治癒力《ちゆりよく》を強化する〝癒す親指の鎖《ホーリーチエーン》〟である。

「そんなことよりゴン、さっきの話からするとお前、私のために自《みずか》らを危険にさらすような真似《まね》したみたいじゃないか。何でそんなこと――」

咎《とが》めるように言うクラピカに対して、ゴンは無邪気に笑って応える。

「眼の一つや二つどうってことないよ、友達だもん」

その言葉を聞いて、クラピカだけでなく、キルアやレオリオもふっ、と笑みを浮かべた。

「……私は本当にいい友を持った」

「礼を言うのはまだ早いぜ」

「ああ、ここからが本番だ」

うなずき合う仲間たちを見て、ゴンが声を上げる。

「案内するよ。オモカゲのもとへ!」

※

雲が流れ、夜空に月が顔を出した。

町はずれの巨大な洋館――そのバルコニーから、町の夜景を見つめている男の姿があった。

「ククク……。美しいね。確かにこの眼から見える世界は輝いて見える。私のコレクションの一つにふさわしい眼だ」

館の主《あるじ》、オモカゲである。

その傍らに控《ひか》えている少女は、館の主の言うその〝眼〟――正確には、彼が念《ネン》の糸で操っている長髪の人形の眼窩に嵌《は》めこまれた眼――が、誰のものであったのかを知っていた。

――ゴン、ごめん……。

そして、その眼を奪うために、自分を信頼してくれた少年を裏切るような真似をしてしまったことを思い出すと、やりきれない気持ちで胸がいっぱいになってしまう。

そんな少女の内心の葛藤《かっとう》を無視するかのように、オモカゲはその髪を撫《な》でつける。

「――しかし、残念ながらレツ、お前に合う眼ではないようだね」

「兄さん、もうこんなことはやめて……！」

レツは、目の前の人形師《オモカゲ》――兄に向かってすがるように訴《うった》えかける。

兄に命令されるまま、人を傷つけるようなことは、もうしたくないのだ。

懇願《こんがん》するレツにオモカゲがため息をつくと、目の前のイルミの人形を操っていた念《ネン》の糸がぷつりと切れた。

「レツ、どうしたんだ。すべてはお前のためにやっていることじゃないか」

そう、オモカゲが眼を集めているのは単にコレクションのためというわけではない。

妹《レツ》のためでもあるのだ。

――ゴンを傷つけるようなことになってしまったのは、僕のせい……。

レツの心には、まるで重い杭《くい》を刺しこまれたようなずっしりとした痛みが広がっていた。

オモカゲはレツに顔を近づけ、諭《さと》すように言う。

「人形に命を与えるためには、人間の眼が必要なんだ。わかっているだろう?」

人形。

その言葉を聞くと、レツは自分の作りものの身体に、激しい嫌悪感《けんおかん》を覚えてしまう。

人の血の通わないこの身体。

兄によって作り出された、偽物《にせもの》の存在。

この紛《まが》い物の身体を人間にするために、兄は凶行《きょうこう》を繰り返しているのだという。

「お前に命を与えるためには、彼らのようにまっすぐな人間の眼こそが必要なんだよ。意思の強い人間の持つオーラは、澄《す》みきっていて拒否反応も出にくいだろうからね」

「だからって、兄さんはゴンやキルアを……あの二人の仲間の眼を奪うつもりなの……？　そんなこと僕は望んでないっ……！」

強い視線でにらみつけるも、オモカゲは、やれやれ、と鼻を鳴らしただけだった。

「――私が『神の人形師』になれたのはすべてお前のおかげだ。お前が最初の犠牲《ぎせい》になってくれたことで、この術を完成させることができたんだからな。私がお前の眼のために尽力《じんりょく》するのは、当然のことだろう？」

何を言っても伝わらない兄に落胆《らくたん》し、レツは目を伏せた。

頬に触れる兄《オモカゲ》の手から、人間味が失われてしまったのはいつからだっただろうか。

かつてオモカゲは、父の下で人形作りを学ぶ、熱心な若き人形師だった。

誰よりもひたむきに、素晴らしい人形を作ろうと努力していた兄の姿は、今もレツの心の中に、憧《あこが》れの対象としてしっかりと刻《きざ》みこまれている。

――でも、兄さんは変わってしまった……。

何体も何体も人形を作っていくうちに、兄はある願いに取り憑《つ》かれてしまったのだ。

〝より人間に近い人形を作りたい〟――それは、願いというよりも執念《しゅうねん》に近いものだったかもしれない。

偏執《へんしつ》的な修行の果てに兄が到達《とうたつ》したのは、他の人間の妄執《もうしゅう》を材料として人形を作り出し、そこに生きた人間の眼を嵌《は》めこんで生命を宿す術。

『神の人形師』を名乗るこの男が、人形師としても人間としてもまともではないことは、誰の目にも明らかであった。血を分けた自分の妹ですら、その術の実験台にしてしまったのだから。

「最初のときは未完成な術でお前の眼を——そしてお前自身を失うことになってしまったね……。私は本当に悪いと思っているんだよ」

オモカゲがぎゅっと身体を抱きしめてくる。彼が作った、偽物の妹の身体を。

——あの日、僕は死んだんだ。ここにいる僕は〝本当〟じゃない……。

初めて禁術《きんじゅつ》を実行したあの日、オモカゲは生身《なまみ》のレッツから人形のレッツへと眼を移し替えることに失敗してしまった。それによってレッツの眼とその命は、永遠に失われてしまったのである。

「——だからこそお前を人形として蘇《よみがえ》らせ、お前に適合する眼を探してやっているのだよ。……美しいお前の眼は、そこの人形から動かすことができなくなってしまったのだからね」

そう言ってオモカゲは、レッツの背後に置かれた硝子匣《ガラスケース》に視線を移す。

ケースの中には、華美《かび》な装飾が施《ほどこ》されたドレスを身にまとった少女の人形があった。四、五歳くらいの良家の子女、といった雰囲気《ふんいき》の小さな人形である。

人形の青い瞳は、吸いこまれそうなほどに美しく、そしてその顔立ちは、どことなくレツに似ていた。

「もはや私の〝魂呼ばい《タマヨバイ》〟でも、その眼をお前に戻してやることはできない。……まあ、特殊な防腐剤《ぼうふざい》によって永遠の美しさを得たぶん、幸せといえるかもしれないがね」

レツの頭を撫でながら、オモカゲがつぶやく。

「お前の新しい眼は生者《せいじゃ》のもの——それも純粋な輝きを持つものでなければなるまい。……そうだな、次はキルアの眼をプレゼントしてやることにしよう」

ククク、と笑うオモカゲ。

そんな兄に対し、レツが抱いていたのは憐憫《れんびん》の感情であった。

——どうして、兄さんはこうなっちゃったんだろう……。

失った妹を取り戻すという妄念《もうねん》にとらわれ、おぞましい略奪《りゃくだつ》を繰り返す兄。

人の道を外れてしまった兄があのまっすぐなゴンとキルアを傷つけるのは、あまりに無《む》惨《ざん》なことに思えてしまう。

「もうやめよう。二人に手を出すのは」

「情が移ったか……。無理もない。私の指示以外はすべてレッツ本人として二人に接していたんだからね」

「……ゴンの眼を返してあげて」

オモカゲをにらみつけるレッツ。しかし彼は何の返事もせず、口元を歪《ゆが》めるだけだった。

こうして罪悪感に苛《さいな》まれるくらいなら、自分の意思など最初からないほうがよかった。

完全に兄の操り人形として二人に接することができていたなら、どれだけ心が楽だったかわからない。

自分が〝本当〟を生きているのかどうか、思い悩む必要もなかっただろうから――。

しばらくレッツがそんなことを考えて黙っていると、オモカゲがふと、何かに気がついたように顔を上げた。

「来客か……。そろそろ来るころだとは思っていたが――」

オモカゲがレッツの顔をつかみあげ、その闇の目でじっとレッツの瞳を見つめる。

「レッツ、私の眼を返してもらうよ……。〝魂呼《タマヨバイ》ばい〟」

念《ネン》のオーラが眼から照射され、レッツの眼に絡みつく。そしてそのまま、眼球がオーラによって奪い取られ、オモカゲの顔に新たな眼としてすっぽりと納まった。

「………」

PHANTOM
ROUGE
4

レツの視界から、再び光が消えた。

——もうやめて、兄さん……。

※

その頃、ゴン、キルア、レオリオ、クラピカの四人は、オモカゲのアジトと思われる建物の前にたどり着いていた。

人気《ひとけ》のない郊外、切り立った崖《がけ》の上にひっそりとたたずむ巨大な洋館。昼間の廃墟に比べるとずいぶん大きく、立派《りっぱ》な造《つく》りの建物だ。雲間《くもま》から射《さ》しこむ月明かりが、その全体像を不気味に照らし出している。

「ここだ。間違いないよ」

内部に自分の念《ネン》——奪われた眼があることを感じ取ったのだろう、ゴンがうなずいた。

「オモカゲは相当ヤバい相手だからな、作戦が必要だ」

キルアがレオリオとクラピカに忠告する。相手は、人形とはいえ、あのウボォーギンやイルミのような化け物を操る念《ネン》能力者なのだ。正面から戦うのは得策《とくさく》ではない。

「ああ。戦いは避けて、二人の眼を奪い返すのを最優先する。……ゴンとクラピカは隠れててくれ」

視力を奪われているゴンやクラピカを戦わせるわけにはいかない。二人に向かってそう提案するレオリオだったが、クラピカはそれに応えず扉へと近づく。

「おい、クラピカ？」

レオリオの声にも振り向かず、クラピカは扉を開いた。

「視力はなくとも念《ネン》さえ使えれば問題ない。……ヤツは私が倒す。レオリオたちこそ、危険な戦いは避けるべきだ。ついてこないほうがいい」

淡々《たんたん》とした口調で告げ、一人で館の中に踏みこもうとする。

「クラピカ、まさか……」

「一人で戦うつもりなのか⁉」

クラピカの言葉に、ぎょっとするゴンとキルア。

病院を出たばかりのクラピカが、あの強力な人形遣《づか》いと戦うなんて無謀《むぼう》すぎる。せめて共闘すべき――と説得をしようとしたのだが、

「オモカゲが元・旅団《クモ》の団員というのなら、私の手で復讐《ふくしゅう》を果たすべき相手だ」

そっけなく、クラピカは言い捨てる。

「――それに、ヤツはパイロを……私の親友を利用した。その上、今度はゴンまでも傷つけて……」

口調こそ静かなものだったが、その声は明らかに怒りに震えていた。握りこまれたクラピカの拳《こぶし》に、血がにじむ。もし彼の眼が奪われていなければ、今頃それは緋色《ひいろ》に変じていたことだろう。

ふだんは冷静なはずのクラピカがそれほどの感情の昂《たかぶ》りを見せていることに、ゴンたちは息をのんだ。

「クラピカ……」

「必ず私が引導《いんどう》を渡してやる……！」

つぶやくや否《いな》や、クラピカは奥へと向けて駆け出した。

「おい、クラピカ！　待て！　罠《わな》があるかもしれねえ！」

仲間の制止の声も届かず、クラピカはうす暗い屋敷の中へと姿を消す。

高い足音だけが、不気味な廊下に響きわたっている。

「ちっ……頭に血が上ってやがる！　……しょうがねえ、オレたちも後を追うぞ！」

こうなってしまっては作戦も何もあったものではない。

レオリオにうなずき返し、キルアとゴンも、クラピカを追って洋館へと足を踏み入れた。

玄関ホールを抜け、暗い広間を進む三人。

——クラピカ、どこだ……！

屋敷の中には明かりはいっさい灯《とも》っておらず、窓から入る月明かりだけが視界を確保するよりどころだ。静まり返った屋敷の中を、先行するクラピカの足音を頼りに急ぐ。感覚に優《すぐ》れるゴンやキルアでも、この暗がりでは廊下をどちらに進んでいいかもよくわからなくなってしまいそうだ。

「それにしても、気味の悪い屋敷だぜ……」

レオリオの言うとおり、これだけ大きな邸宅《ていたく》でありながら、建物の中からは生活の匂いがほとんどしない。廊下はがらんとしており、家具や装飾品のたぐいはない。ただたくさんの硝子匣《ガラスケース》だけが置かれていた。

「人形だらけ、だね」

ケースの中に入れられているのは、大小さまざまな人形たちだ。三十センチくらいの小さなものから、人間大のもの、それより大きな三メートルくらいの人形もある。美しい少女の人形、みすぼらしい身なりの老人の人形……老若男女《ろうにゃくなんにょ》いろんな人形が、ひしめき合うように置かれていた。それらの人形の表情はまるで生きているかのようであり、瞳の部分が暗い闇でさえなければ、人間と見間違えてしまいそうになるほどだ。

——なんなんだ、この人形屋敷……！　まさか全部ヤツの……？

通路を足ばやに進むと、少し開けた空間に出た。

「クラピカ！」

うす暗い吹き抜けの広間の中央で一人、クラピカが二階を見上げてたたずんでいた。ようやく追いつくことができたようだ。

ここは、礼拝《れいはい》用の聖堂か何かだろうか。広間の中央には巨大な祭壇《さいだん》が置かれ、聖像や聖画、十字架等が配されている。おごそかで静かな雰囲気の場所だったが、何となく気味が悪い。

天井近くにある窓の隙間《すきま》から淡い月光が射《さ》し、広間をぼんやりと照らしている。壁ぎわに二メートルほどの長方形の箱がいくつも立ち並んでいるのが見えたが、それが何なのかはわからない。

「ようこそ人形の館へ」

不意に、広間に声が響いた。

奥にあったガス灯に火が灯り、黒い外套《がいとう》の男の姿が浮かびあがった。

銀の長髪。陰気な表情をした、細面《ほそおもて》の男。元・旅団の人形遣い、オモカゲだ。

――気づかなかった。〝絶《ゼツ》〟を使ってたのか……！

昨夜とは違い、彼の眼窩《がんか》には眼が納められているようだ。最初からこちらをここまで誘いこむつもりだったのだろう。迎え撃つ準備は万全、といった面持《おもも》ちである。

「お前がオモカゲか……⁉」

レオリオの問いに、男は恭《うやうや》しくうなずいた。

クラピカが声を荒らげて尋《たず》ねる。

「答えろ！　クルタ族を襲ったとき、貴様も旅団《クモ》のメンバーだったのか⁉」

「それはパイロがよく知っている」

オモカゲが微笑むと、また別のガス灯に火が灯った。

そこに映し出されたのは、クラピカと同じ装束《しょうぞく》の少年――パイロだ。悲しげな表情を浮かべ、少年はクラピカのほうをじっと見ている。

一瞬そちらに気を取られたクラピカだったが、すぐにオモカゲへと向き直る。

「オモカゲ！　貴様に聞いている！」

同胞《どうほう》を殺された怒り、そしてパイロを利用された怒りを、そのままぶつけるようなクラピカの叫びだった。

そんなクラピカの感情に呼応《こおう》するように、パイロの瞳の色が緋色に変わっていく。どうやらクラピカの眼は、奪われた後でも本人とリンクすることがあるようだ。

「ふふ、素晴らしい……。やはり惚《ほ》れ惚《ぼ》れするほど美しい色だね。この瞳は」

緋の目に変わったパイロに近づき、感嘆《かんたん》する人形遣い。

「今もよく覚えているよ。クルタ族の心の温《ぬる》さ、そしてあの鮮血の温かさ……」

うっとりするような表情で、オモカゲはパイロの頬を撫でる。

どうやらクラピカの考えどおり、この男がクルタ族の襲撃《しゅうげき》に関与《かんよ》していたのは間違いないようだ。

「貴様も緋の目を持っているのか⁉」

「残念ながら君のだけだ。それも今ではパイロのものだけどね」

少年の頭を撫でながら、オモカゲは笑う。

パイロは無表情のままオモカゲの愛撫《あいぶ》を受け入れていたが、その緋色の瞳は、どこか寂しさを宿《やど》しているようにも思えた。

「ふふ、繊細《せんさい》なパイロの身体と、クラピカの情熱の瞳が織《お》りなす芸術……。そして見たまえ――」

オモカゲが指を鳴らすと、彼のすぐ右隣にガス灯の火が灯った。そこに現れたのは、長髪の青年。

「兄貴……⁉」

息をのむキルア。

兄《イルミ》の人形が、闇の中からこちらに無機質な視線を送っていたのだ。

「イルミのゆがんだ愛情とゴンのまっすぐな瞳……。相反する二つの美を同居させることができるのは人形だけ……」

人の辛《つら》い記憶から作りだした人形に、奪った眼を入れることで、新たな美の創出《そうしゅつ》を気取《きど》る収集家《コレクター》。それがこの人形遣い、オモカゲなのである。

「ククク……。次はキルアとレオリオだ……。キミたちのように仲間思いの人間の瞳は、人形の眼に命を与えるためには格好《かっこう》の材料になりえるからね。……ああ、早く欲しいものだよ」

熱っぽい視線で、キルアとレオリオを交互に見やるオモカゲ。

しかし、そんなオモカゲの嗜好《しこう》を理解できる人間など、この場にはいなかった。

「ちっ、いかれた野郎だぜ……」

レオリオの言葉に、キルアもうなずく。

ゴンとクラピカの眼を、こんな気味の悪い人間の手元から早いところ取り返さなければ。

「ねえ、レツもそこにいるの？」

ゴンが声を上げると、その疑問に応じるように、またガス灯に明かりが灯った。闇の中に、少女の姿が浮かびあがる。別れたときと同じ、女の子らしい格好のままだ。

「レッ！」

しかし彼女はゴンの呼びかけにも応えず、じっとうつむいたまま瞳を閉じている。彼女が眼を開かないのは、その眼がオモカゲのもとに戻ったからなのだろう。

「ふふ。彼女は実に便利な駒《こま》だ。今回もゴンの眼を奪うのにずいぶんと役に立ってくれたからね」

オモカゲは彼女のもとに歩み寄ると、その髪を撫でるように優しく触れた。

レッツは一瞬びくり、と身体を震わせたが、反抗のしようもなく黙ってされるがままになっている。

「そうやってお前の思いどおりに操られて……。そんなのレッツが望んだことじゃないだろ！」

「何を言っているんだ、ゴン。……私はね、彼女に生命《いのち》を与えてあげようとしているだけなのだよ」

「生命だって……？　どういう意味だ？」

オモカゲは、悲しそうな表情を浮かべてレッツの頬に指を這《は》わせた。

「レッツはね、人形作りの実験の最中に、命を落としてしまった我が妹なのだよ。私が『神の人形師』に至《いた》るための犠牲とはいえ、不幸なことだった……」

「命を落として——？　すると、パイロ同様、その少女も人形ということか」

クラピカを見下ろしながら、オモカゲがこくりとうなずく。

「そうだ。レッツも私の人形……。私自身の妄執が生み出した忠実な僕《しもべ》なのだ」

「ふざけるな！　自分の勝手な都合で殺しておいて、そのうえ何が僕《しもべ》だ！　それがレッツの望みのわけないだろ！」

ゴンが、憤《いきどお》りの声を上げる。

「ふん、わからん奴だな。人間という脆弱《ぜいじゃく》な身を捨て、この私の作った人形になれたのだ。それに勝《まさ》る幸せなどあるはずがないだろう。……あとはお前たちの眼さえあれば、レッツは命すら得ることができる。それがレッツの幸せでなくてなんなのだ？」

オモカゲが微笑みを浮かべながら、レッツの頭を優しく撫でる。

するとそれまで黙っていたレッツが顔を上げ、ゴンのほうを向いて口を開いた。

「聞いただろ、ゴン。そのとおりなんだ。僕は本当は、死んでるはずの人間……。兄《オモカゲ》さんの人形なんだ——。キミたちとは友達になんてなれるはずもなかったんだよ。ごめんな」

彼女の言葉に、首を振って応えるゴン。

「本当は死んでるだとか人形だとか、そんなの関係ない。レッツはレッツだよ。オレたち、友達だろ……！」

「でも僕は、ゴンやキルアにひどいことしたんだぞ⁉　そもそもこうして生き返ってさえいなければ、キミたちを傷つけることもなかったはずなんだ！　いっそのこと、あのままずっと眠っていられればよかったのに……！」

それは、自らの今を否定するようなレツの叫び。

その言葉を聞いて、ゴンがうつむく。

「レツ……かわいそうに」

オモカゲは、神妙《しんみょう》な表情でゴンの言葉にうなずいた。

「そう。不幸な事故で死んだ彼女を想う私の気持ちが、私にレツの人形を作らせたのだ。だからこそ、こうして生き返ることは彼女にとって素晴らしいことで――」

「違う！　人形のレツがかわいそうだって言ってるんだ！」

ゴンの叫びに、レツが驚いて顔を上げる。

「お前の道具としてしか生きられないなら、そんなの生きてるうちに入らない！」

啖呵《たんか》を切るゴンをオモカゲが「ふん」と鼻で笑うように見下ろす。

「……パイロもそうだぜ、クラピカ」

そう、レオリオの言うとおり、レツ同様、パイロも死人なのだ。

「だが……」

しかしクラピカは、納得のいかない表情でパイロの姿を見つめていた。頭では理解しているのだろうが、親友《パイロ》を死んだと割りきることに、まだ迷いがあるのかもしれなかった。

そんなクラピカを見てキルアは、覚悟を決める。

——だったら、オレがこのイカレた人形遣いを何とかしねーと。

「おっさん、とっととクラピカとゴンの眼を返しな」

殺気を放ち、オモカゲをにらみつけるキルア。

実力が未知数の相手と真っ向からやり合うのは本意ではないが、待ち伏せされてしまった以上は正面からやるしかない。さっきの落とし前をつけてやる——。

「ククク……」

キルアの啖呵を、オモカゲは鼻で笑う。

「勘違《かんちが》いしてもらっては困る。君たちがここへたどり着けるようヒントをあげたのは、返すためではなく、もらうため」

「なにっ⁉」

「先ほども言ったとおり、キルア、レオリオ……君たちの眼はレツの眼にふさわしい。透き通った美しさを持つものだったからね。だからわざわざご足労《そくろう》願ったというわけさ」

うふふ、と笑みを浮かべてキルアとレオリオを見るオモカゲ。

「予想どおり、激昂したクラピカを追って、キミたちはここまでやって来てくれた。人間の絆《きずな》というものは美しいものだよ、本当に……！」

「この外道《げどう》が……！」

普段のクラピカであれば、今ごろ射殺《いころ》すような視線をオモカゲに送っていたことだろう。

「さあ、キミたちの眼も私に差し出すがいい！　……レツの眼として、そして私のコレクションとして永遠のものにしてやろう！」

オモカゲが合図をすると、大広間のガス灯がすべて一斉《いっせい》に灯った。そしてそれに呼応するように、パイロとイルミの人形が動き出したのである。

オモカゲは最初からこちらをここに誘いこんで、人形たちを操って叩くつもりだったのだろう。

——屋敷の中に下手《へた》な罠の一つもなかったのは、それだけで手負《てお》いの自分たちを倒せるという自信があったから……！

「キル——」

イルミが、キルアのほうに向かって歩を進めてきた。

目的は、もちろんキルアの眼だろう。

——兄貴……！

イルミと臨戦《りんせん》態勢に入るキルアの気配を察して、クラピカは、

「パイロとは私が戦う」

と、かつての親友のほうへと向き直った。

「レオリオ、クラピカをフォローして！」

ゴンの声に、レオリオは「ああ」とうなずく。

念《ネン》能力が使えるまでに回復したとはいえ、視力を失った今のクラピカは十全《じゅうぜん》ではない。

戦闘になるなら、誰かがカバーに入らねばならないだろう。

そしてそれは、ゴンについても同じだ。

「ゴンのことは任せろ！」

キルアが叫ぶ。

「キルア、今度は負けないよ！」

キルアに声をかけ、イルミを迎え撃とうと身構えるゴン。精神を集中させ、ゴンは念《ネン》のオーラを身にまとった。

——オレがゴンを守る……！　そのためなら、どんな相手でも倒す……！

キルアもまたイルミに向き直り、戦闘態勢に入るのだった。

「この世は舞台、人はみな役者か……。ククク」

いつの間にかオモカゲはレッとともに吹き抜けの二階へと移動していた。

眼下で始まる戦闘を見下ろし、笑みを浮かべている。

「風よ吹け。人の心を吹き荒らせ……」

第4章

クラピカの前に、パイロが立ちはだかった。この気配、間違えるはずもない。

再び視界を閉ざされての戦いだが、今度は負けられない。

──これ以上、親友《あいつ》をオモカゲの玩具《オモチャ》にしておくわけにはいかないんだ……！

「ねえクラピカ」

優しい声がかけられた。

「新しい友達ができてよかったね……。クラピカの友達はボクだけだと思ってたけど……」

パイロが背中から一対《いっつい》の木剣《ぼっけん》を取り出し構える気配を、クラピカの感覚が捉《とら》えた。

「お前はパイロでも、友達でもない。……本当のパイロは死んだ……！」

クラピカもまた覚悟を決め、パイロに木剣を向ける。

そばで見ているレオリオには、自分とパイロが鏡像のように同じ構えを取っているように見えるだろう。

──同じクルタ族の使い手同士なのだからな……。

「そう……ボクは死んだ。なのに生きている……。どうしても逆らうことができない強い意思に操《あやつ》られて……。だから、君の友達の眼《め》も、奪わなきゃならない……」

「そうはさせない」

冷たく言い放つクラピカ。

「だよね……。でも、その邪魔をする者は殺さなきゃならないんだ――」

悲痛な声で叫びながら、パイロが踏みこんでくる。

「――そんなこと……したくないのに！」

「!?」

パイロが近づく気配を察知《さっち》し、クラピカが身構える。

――クルタ族の武術のセオリーどおりの攻撃なら、初撃は右手のなぎはらいか、左手の振り下ろしのどちらかが来るはず……！

二つの攻撃が予想されるが、視界が闇《やみ》に閉ざされている今、相手の挙動を見て判断することは不可能。完全に運任せの防御《ぼうぎょ》だ。選択を誤《あやま》ればダメージを受けるのは必至《ひっし》……！

――左右どちらだ……!?

「クラピカ！」

その瞬間、横合いからレオリオが飛び出してくる気配がした。

「レオリオ!?」

次の瞬間、木剣が身体《からだ》にめりこむ鈍《にぶ》い音とともに、レオリオの苦悶《くもん》の声が耳に響いてきた。どうやらレオリオは変幻自在《へんげんじざい》の打撃からこちらをかばうために、身を挺《てい》してクリーンヒットを受けてしまったようだ。

「――はあっ！」

レオリオを叩《たた》き飛ばしたにもかかわらず、パイロは間髪入《かんはつい》れずに次の攻撃を繰り出してくる。

――次は読める……！

初撃をレオリオが受けてくれたおかげで、二段目の攻撃の軌道《きどう》を読むことができた。相手の一撃を、何とか木剣で受けとめることに成功する。

「ボク……パイロとして生きていい？」

高速の双木剣による連続攻撃を繰り出しながら、パイロがつぶやく。

「お前は……オレの思い出の中のパイロでしかない！」

パイロの打ちこみをすべて紙一重《かみひとえ》でさばきながら、クラピカが応《こた》えた。

「でもちゃんと覚えているんだ。長老《ジイサマ》のことも、クラピカのお父さんやお母さんのことも――。美しい森だけが世界のすべてだった、あの頃のことも……！　全部！」

その言葉に、クラピカの動きが一瞬だけ止まる。

——オレと同じ思い出を持つパイロ。このパイロは、本当に人形なのだろうか？　オレはこのパイロを、倒してしまっていいのか……？

そしてその一瞬の迷いが、勝敗を分かった。

「ぐうっ！」

パイロの木剣がクラピカの左腕を鋭く捉《とら》える。その一撃で、片手の木剣がクラピカの手からこぼれ落ちる。

——まずい！

武器を落としたクラピカに、パイロの攻撃を防ぐ術《すべ》はない。

「がはっ……!?　ううううっ……！」

隙《すき》だらけのクラピカに対し、パイロはいっさい容赦《ようしゃ》を見せることはなかった。

「——はあああっ！」

クラピカの頭、胸、膝《ひざ》に、強烈な連続攻撃が叩きこまれたのである。

猛攻《もうこう》を受け、がくりと床にひざまずくクラピカを見下ろして、パイロが言う。

「たとえクラピカが死んでも、必ず人形として蘇《よみがえ》らせてもらうからね。……そしたら一緒に暮らそうよ。昔みたいに……」

パイロのとどめの一撃が、クラピカを狙《ねら》って振り下ろされる。

その瞬間、

「うりゃあああああああっ！」

バシーン！　と耳元で音がした。

「クラピカ！　しっかりしろ！」

至近《しきん》距離で耳に響くのは、レオリオの声。

どうやら、レオリオがパイロの木剣を、素手《すで》で受けとめたらしい。

「愛する者《モン》の死は、それを受け入れなきゃ乗り越えられねえ！　オレもお前も、そうやって仲間の死を乗り越えてきたんだろうが！」

――そうだ。レオリオが病《やまい》で亡くした友人の死を乗り越えて医者をめざしているように、自分も同胞《どうほう》たちの死を乗り越え、旅団《クモ》を倒すと誓《ちか》ったはずだ――。

「確かにパイロは親友だったかもしれねえ！　だが、今のお前にはオレたちがいる！　今を生きろ！　クラピカ！」

「………！」

レオリオの叫びに、クラピカはうなずく。

闇に閉ざされた視界の中で光が生まれたような気がしたのだ。

「邪魔しないで！」

激昂《げっこう》したパイロの一撃が、レオリオを襲《おそ》う。「げはっ⁉」という声とともに、レオリオはその場に倒されてしまったようだ。

「一緒だよね、クラピカ……。これからもずっと……！　ずっと！」

パイロの振るう木剣が、クラピカの顔面を狙う。

「くっ……⁉」

紙一重でよけたものの、先端が顔をかすめ、巻いていた包帯がほどけ落ちた。

「すまなかった、レオリオ……私はもう迷わない……！」

クラピカは木剣を拾い上げ、ふたたびパイロに向けて構える。

いまだ視界は闇に包まれたままではあったが、心の中にはすでに迷いはなかった。

「はあああああああっ！」

「……ッ！」

振り下ろされるパイロの木剣と、それを受けるクラピカの木剣。

二人の想いと剣が交錯《こうさく》し、広間に甲高《かんだか》い音が響き渡った。

※

キルアの前方から、オーラをまとったイルミが歩いてくる。

〝纏《テン》〟によるオーラの防御がなければ、そばにいるだけで気分が悪くなるような、そんな不気味なオーラだ。

ゴンに合図をする。

「来るぞ」

うなずきで応えるゴン。眼は見えていないが、ゴンもイルミの気配《オーラ》はじゅうぶんに感じ取れているようだ。

——〝練《レン》〟！

ゴンとともにオーラを練りあげ、力強く放出する。

それでこちらに戦闘準備が整ったことに気づいたのだろう。イルミが、突如《とつじょ》速度を上げて突っこんできた。

「クッ……!?」

突き出されたイルミの拳《こぶし》を、キルアはとっさに腕でガードする。

「——キル、まだわからないのかい？」

言いながら、イルミは連続で攻撃を加えてくる。突き、蹴《け》り、手刀《しゅとう》の雨が、ゴンとキルアに浴びせられた。

——速いっ……！

二人がかりで戦っているはずなのに、防御するだけで手いっぱいだ。

——兄貴とは力の差があるのはわかってる。でも……！

「げほっ⁉」

攻撃をさばききれず、気づけば鳩尾《みぞおち》に拳を叩きこまれていた。キルアの身体は、そのまま数メートル後ろの壁へと吹き飛ばされてしまう。

「キルア！」

「くっ……この程度で負けちゃいねーぜ」

しかしすぐに体勢を立て直した。〝練《レン》〟による防御のおかげだ。戦闘不能にはまだ至《いた》っていない。

——だいじょうぶ、まだ戦える……！

イルミはなおも自分に抗《あらが》おうとするキルアの姿にため息をつくと、表情を変えずにつぶやいた。

「——お前は熱を持たない闇人形だ」

それは、イルミがハンター試験でキルアに告げた台詞《せりふ》だった。

「⁉」

——オレが、人形……？

あのときと同じ台詞を、ふたたび。しかも今度は人形であるはずのイルミに言われるとはまったくの皮肉である。しかしそれでも、キルアの身体を委縮《いしゅく》させるにはじゅうぶんだった。

動けないキルアの代わりに、ゴンが憤《いきどお》る。

「そんなことない！　キルアは闇人形なんかじゃない！」

殴《なぐ》りかかるゴンだったが、

「邪魔」

「うぐぅっ⁉」

逆にイルミのカウンターを受けて吹き飛ばされてしまった。

「ゴン……⁉」

イルミは能面《のうめん》のように表情をいっさい変えることなく、一歩一歩キルアに近づいてくる。

「——お前が唯一《ゆいいつ》喜びを感じるのは、人の死に触れたとき……」

兄の眼に見つめられ、キルアは口を開くことさえできない。

——くそっ……！　オレは、また……！

「違う！　お前なんかにキルアのことがわかってたまるか！」

痛みを必死にこらえながら、ゴンが立ち上がった。

しかしイルミは、そんなゴンの言葉などまるで耳に入っていないかのように、あの日と同じ台詞と淡々《たんたん》と繰り返す。

「——友達ができてもお前は殺したくなる。なぜならお前は根っからの人殺しだから」

——オレは人殺し……。そうやって育てられてきたから……。

心の中の声が、ますますキルアをがんじがらめに縛《しば》っていく。

それを解《と》き放ったのは、親友《ゴン》の声だった。

「キルアは人殺しじゃない——!」

ゴンは眼に巻いていたボロ布を捨て、叫ぶ。

「——オレのいちばんの友達だ!」

その声にこめられた意思は強く。

ふたたび凍《こお》りつきそうだったキルアの心を動かすにはじゅうぶんなものだった。

「ゴン……!」

その笑みに救われたのは、もう何度目になるだろう。キルアは自分を奮《ふる》い立たせてくれた親友に、微笑《ほほえ》み返した。

「ふうん……」

イルミはよりいっそう不気味なオーラを強め、キルアに向けて駆け出してくる。

「――勝ち目のない敵とは戦うな。そう教えたよね」

「勝ち目がないなんて、そんなことない――」

迫ってくるイルミを迎えうつように、ゴンが飛びこんできた。

「戦える！　オレと一緒ならやれる！　そうだろ、キルア！」

そんな親友の声に、キルアは胸がいっぱいになるのを感じる。

「ああ！」

――オレも……ゴンのこと……とことん信じる！

「うおおおおおおおおっ！」

ゴンとともに雄《お》たけびをあげ、イルミへと向かう。

――これはただの人形だ。兄貴じゃない……！　ゴンと一緒なら、戦える……！

念《ネン》をまとった右手のオーラを〝練《レン》〟で増幅《ぞうふく》する。

「!?」

目前に迫る人形《イルミ》。突き出されるその拳をよけ、キルアはゴンとともに、人形の胸に手刀《しゅとう》を叩きこんだ。

「……………！」

二人の手刀が、同時に人形《イルミ》の胸を貫《つらぬ》きとおす。

その瞬間、人形の体勢ががくりと崩《くず》れ、その眼からゴンに向かって念《ネン》のオーラが照射された。

「あっ……!?」

オーラとともに、ふたたびその眼がゴンのもとに戻る。人形を倒したことで、オモカゲの〝念能力《タマヨバイ》〟が解除されたのだろう。

イルミの身体は生気《オーラ》を失い、文字どおり糸の切れた人形のようにその場に倒れ、動かなくなった。その身体は収縮《しゅうしゅく》し、ウボォーギンや陰獣《いんじゅう》のときと同様、小さな人形素体《そたい》へと戻る。

息を整えるキルア。

「はあ……はあ……倒せた……?」

落ち着いて動きを思い返してみれば、この人形の強さは本物の兄《イルミ》にはとうてい及ばないものだったようにも思う。ノブナガが言ったとおり、人形は、元となった本人の眼が入っていないと、真価《しんか》を発揮《はっき》しないのかもしれない。

――でも、オレ一人じゃ、そのことにすら気づかなかった……。

逃げそうになっていた自分に勇気を与えてくれた親友がこちらを見て、ニコリと微笑んだ。

「やったね」

「……ああ！」

※

木剣を交差させたまま、クラピカとパイロは動かない。

「村を出るときに、ボクとした約束、覚えてる？」

ふと、パイロがつぶやいた。

――〝楽しかった？〟――ってボクが聞くから、心の底から〝うん〟って答えられるような、そんな旅にしてきてね!!

あの日のパイロの笑顔を、そして彼を治すために医者を見つけてくると誓《ちか》った約束を、忘れるはずがない。

「ああ、もちろんだ」

うなずくクラピカに、パイロが満足そうに微笑む。

「じゃあ聞くね。……楽しかった？」

それはどこか悲しげで、そして真剣な声。もし本物のパイロが今も生きていて、自分に出会ったら、こんな表情で問いかけるのだろうか。

――目の前のパイロは人形《ニセモノ》。それはわかっている。

だがクラピカは、彼の言う約束に対して誠心誠意《せいしんせいい》、正直に応えようとした。それがパイロと同じ記憶を持つ彼に対しての、せめてもの礼儀だと思ったからだ。

「悲しいこと、辛《つら》いこともたくさんあった。でもそれを分かち合える友を得た……。だから今は、心の底から〝うん〟と答えられる」

ゴンやキルア、そしてレオリオ。

信頼できる仲間たちとの出会いや、ともに苦境を乗り越えた経験は、今やかけがえのないものである。彼らがいたからこそハンター試験に合格することもできたし、旅団《クモ》と渡り合うこともできたのだから。

――本当は、お前ともそんな冒険がしたかったんだよ。お前と一緒に、世界を回りたかったんだよ、パイロ……。

そんなクラピカの想いを察したのか、パイロはにっこりと微笑みを浮かべた。

「……良かった……」

パイロの安堵《あんど》の声。

それは、心の底からこちらを案じてくれているような、そんな優しい声だった。

クラピカはそのときになってようやく気づいた。

「パイロ、お前——」

オモカゲに操られていたはずのこの人形《パイロ》は、自分を殺して人形にしようなどとは、最初から思っていなかったのである。

「——オレにとどめを刺させるためにあんなことを言ったのか——!?」

弱々しく笑みを浮かべるパイロ。

クラピカの剣は、先ほどぶつかり合ったときに、パイロの胸を貫いていたのだ。以前までのパイロの動きであれば、視界を閉ざされたまま戦うこちらの攻撃をいなすことくらいは造作《ぞうさ》もなかったはずである。つまり、本気で戦おうとはしていなかった。先ほどのパイロの挑発《ちょうはつ》は、本心からのものではなかったのだ。

自分をクラピカに止めてもらうため。そしてクラピカを過去《パイロ》と決別させるために、オモカゲの支配に抗《あらが》って行《おこな》った演技だったのだ。

「やっぱり、クラピカは強い、ね……」

かすれるような声で、パイロが笑う。

「いいや、強いのはお前だよパイロ……。いつもお前には助けられてばかりだな」

かつて自分を崖《がけ》の事故から救ってくれたこと。外出試験で長老《ジイサマ》を出し抜く機転を見せたこと。パイロの強さは、あの頃とまったく同じものだ。

4

PHANTOM ROUGE

――たとえ人形でも、中身はお前そのものだった……。

木剣をパイロの胸から引き抜くと、パイロは苦悶《くもん》の表情を浮かべ、がくり、と膝をついた。その身体から生気《オーラ》が抜けていくようだ。

「これで……オモカゲの〝魂呼《タマヨ》ばい《バイ》〟も解除される……よ」

つぶやくパイロの眼から念《ネン》のオーラが照射され、眼が返還《へんかん》される。

クラピカの視界に、再び光が戻った。

「おおっ！」

傍《かたわ》らのレオリオが握り拳を作って喜ぶようすが見える。

「ありがとう……クラピカ……ボクは君に会えて……本当に良か――」

その場に崩《くず》れ落ちるパイロ。

「パイロ⁉」

とっさに抱きかかえるが、パイロの身体は完全に生気《オーラ》を失い、もの言わぬ人形の素体へと姿を変えていく。

親友が消えていくようすを、クラピカは直視することができなかった。

クラピカにとって、同胞を失うのはこれで二度目なのだ。死した親友の尊厳《そんげん》を踏みにじられたうえに、こんな二度目の別離《べつり》まで強要されるなんて……。

――貴様のしたことは許さない。オモカゲ……！

そんなクラピカの耳に、パチパチパチパチ、と乾いた拍手《はくしゅ》が聞こえてきた。

驚いて音のするほうを見上げるクラピカとレオリオ。

イルミを倒したゴンとキルアも同様に見上げていた。

「ククク……悲劇は甘美《かんび》な蜜《みつ》の味……。悲しみも生の証《あかし》……。これもすべて私が作った人形のおかげで味わえる至福《しふく》の時間だ。感謝したまえ」

広間の二階から高みの見物をしていたオモカゲが、クラピカを見下ろしながら拍手をしている。

「ケッ！　もう逃がさねえぞ、降りてこい！」

そんなレオリオの挑発を軽く受け流し、オモカゲは薄く笑みを浮かべた。

「うふふ……私が幻影旅団《クモ》に入った理由を教えてあげよう」

パチン、と指を鳴らす人形遣《づか》い。

その動作を、クラピカたちは警戒《けいかい》しつつ見つめる。

「――旅団《クモ》のメンバーの人形が欲しかったからさ。私の〝俤人《ソウルドール》〟は、執心《しゅうしん》から人形を作りだす能力……。旅団のメンバーに最も執心を持っている者……つまり旅団と最も絆《きずな》が深いのは、メンバーたち自身だからね。自《みず》らも旅団に入って、他の旅団員に接触するのが最も手っ取りばやかったのだよ」

オモカゲの合図とともに、広間の壁に沿って立ち並んでいた箱が、突然音を立てて開く。

「あれは――！」

広間に置かれていた箱の正体は、人形保管庫《ドールハウス》だったのだろう。

その中から出てきた人形は、クラピカにとって因縁《いんねん》深い者たちの姿だった。

フランクリン、フェイタン、マチ、ノブナガ、フィンクス、シャルナーク……。

いずれも眼がないことから、オモカゲによって作られた人形なのだろうということはわかる。だが、かつて同胞を皆殺しにした仇《かたき》の姿を見せられ、動揺を隠すことのできるものなどいるはずがない。

「幻影旅団《げんえいりょだん》……！」

彼らをにらみつけるクラピカに、オモカゲが告げる。

「旅団《クモ》の中でも特に、私ごのみの実戦的な能力を持つ者たちだ……。そして――」

最後のドールハウスから現れたのは、黒髪をオールバックに固め、額《ひたい》に十字のしるしがある青年。その闇の眼が、クラピカのほうを見て薄笑いを浮かべたような気がした。

「クロロ……⁉」

幻影旅団の団長、クロロ＝ルシルフル。

「――君たちには絶対に勝てない相手だ」

人形遣いが合図をすると、旅団の人形が一斉《いっせい》にクラピカたちのほうへと向かってくる。

「まずい！」

とっさに反応したのはキルアだった。バックステップで距離を取ろうとするキルアだったが、マチの人形が放った念糸《ネンシ》がその足に絡《から》みつき、逃げることを許さない。

「くっ……！」

一方、レオリオの首筋には、フェイタンの刃《やいば》が突きつけられてきた。音もなく高速で忍び寄ってきたフェイタンに、レオリオは気づくことさえできなかったのである。

「レオリオ！」

すぐさま助けに入ろうとしたゴンだったが、ゴンの前にはノブナガが立ちふさがった。太刀《たち》の間合《まあ》いに入った瞬間に居合《いあ》いを放つつもりなのだろう。

とっさに身構え、動けなくなったゴンを、後ろからシャルナークが手にしたアンテナで狙いをつけていた。

「まずい……手負《てお》いのまま戦える相手じゃない……！」

先ほどの人形たちとの戦闘のダメージが蓄積《ちくせき》しているのか、ゴンもキルアも反応が鈍《にぶ》くなってきている。

そう思うクラピカもまた、フランクリンの両手の念弾《ネンだん》をよけつつ、フィンクスの拳をいなすことで精《せい》いっぱいであった。苦戦する仲間たちを助けに行くことすらできない。

「うふふ……人形ごときに苦戦しているようでは、この私は倒せない。さあ、大人しくキミたちの眼をもう一度差し出したまえ」

オモカゲは退屈そうに、手の中で眼球をころころと手慰《てなぐさ》みにしていた。

「くそっ！　余裕ぶりやがって……！」

フェイタンの刃を何とか逃れつつ、レオリオが舌打《したう》ちする。

「だが、どうやってこれだけの人数を相手にすれば……！」

敵は七人。人形《ニセモノ》とはいえ、かなりの使い手だ。なんとかしのいでいるものの、このままではいずれ押し負ける――！

そんな中、後方のクロロが右手の本を開きつつ、つぶやいた。

「〝密室遊魚《インドアフィッシュ》〟」

すると、長い身体をした不思議な念魚《ネンギョ》が、クロロの周りに具現化《ぐげんか》される。

念魚は、ギィギィと奇妙な鳴き声を上げながら、戦闘中のゴンたちのほうへと牙《きば》を剝《む》いて躍《おど》りかかった。

「うわっ⁉」

旅団員たちにさえ苦戦していたゴンたちには、襲いかかる念魚をどうにかする術《すべ》はない。

——万事休《ばんじきゅう》すか……!?

念魚の牙がゴンの腕に咬《か》みつこうとしたその瞬間。

「!?」

どこからか飛来した数枚のカードが突き刺さり、念魚たちを地面に叩き落とした。

念《ネン》を帯びたトランプのカードだ。

「これは……!」

「——人形相手に何を手間取《てまど》っているんだい?」

トランプを手にうすら笑いを浮かべる人物を見て、ゴンとキルアが驚きの声を上げる。

「ヒソカ!?」

「ど、どうしてここに?」

ノブナガとシャルナークの攻撃を回避《かいひ》しながら、ゴンがヒソカに問いかける。

「楽しそうな戦闘《パーティ》が始まりそうな気がしたからね◆ 追跡《ついせき》の得意な友達に頼んで、キミたちを追ってもらったんだよ♥」

「追跡……? オレたち、誰かに尾行《つけ》られたりしてたか?」

怪訝《けげん》な表情を浮かべるキルア。

「ま、彼らもそのうち来るだろうから、じきにわかるさ♣ それより、無駄話してるとアブナイよ♥」

「うおっと⁉」

ヒソカに指摘《してき》され、キルアはマチの拳をすんでのところで回避した。

「いちいち人形を始末《しまつ》するよりも、オモカゲの念《ネン》を封じたほうが早そうだね♠」

クラピカのほうを見ながら言うヒソカ。

しかし当のオモカゲは、それを聞いて鼻で笑った。

「くくく……。正義の味方気取《きど》りか、ヒソカ?」

「まさか♥」

おそらくヒソカはただ強敵と戦いたいがために、このオモカゲのアジトを探り当てたのだろう。ならば目的が一致している以上、今のヒソカは敵ではない。

「どちらにせよ、私のコレクションに加わるだけだがね」

そう言って見下ろすオモカゲに、クラピカが声を荒らげた。

「そんなことはもう許さない……! お前に死者を冒瀆《ぼうとく》する権利などない! パイロの無念は私が晴らす!」

「そうだ! レツだって悲しんでたんだぞ!」

ゴンの叫びに、オモカゲが眉根《まゆね》を寄せる。

「レツ、だと……!?」

「そうだ！　きっとレツは悲しんでいる！　望んでもいないのに人形にされるなんて、そんなの——」

ゴンが問い詰めようとしたところで、人形遣いの顔色が変わった。

「黙れ！　貴様らに何がわかる……！　この人形たちの美しさが、貴様らにわかってたまるかああああああっ！」

それはまるで、身体の奥底《おくそこ》から発せられるような憤怒《ふんぬ》の叫び。この男にとってみれば、人間の心など眼中になく、むしろその思いから生み出される人形のできのみがすべてなのかもしれない。

——だからこそ人の執心を写し取って人形にするなどという、外道《げどう》な念《ネン》能力者になったわけか……。

「理屈などどうでもいいんだ！　どうせ君たちも、私のコレクションになるのだから！」

広げたオモカゲの手のひらには、『4』のナンバーの入った蜘蛛《くも》の刺青《タトゥー》。

それを見た瞬間、クラピカの眼が緋色《ひいろ》に変わり、全身を包むオーラの量が倍加した。

——〝絶対時間《エンペラータイム》〟！

緋の目になったクラピカは、この〝絶対時間《エンペラータイム》〟によって、本来クラピカが不得意なはずの強化《きょうか》、変化《へんか》、操作《そうさ》、放出系《ほうしゅつ》の念《ネン》能力を、その系統の能力者にも劣らない威力《いりょく》と精度《せいど》で使いこなすことが可能となる。

つまり、緋の目の状態のクラピカは、一分《いちぶ》の隙もない強力な念《ネン》能力者となるのだ。

そんなクラピカがオモカゲへと向かうのを見て、ヒソカは眉《まゆ》をひそめた。

「おっと、ボクのオモカゲ《メインディッシュ》を横取りしようなんて――」

自身もオモカゲのもとに向かおうとしたヒソカだったが、その瞬間、背後から襲いかかる気配にとっさに反応する。

「――!?」

振り向くと、すぐ背後にアンテナを構えたシャルナークの人形が接近していた。

「邪魔だよ◆」

背後の人形に、投擲《とうてき》したトランプが高速で突き刺さる。

不意討ちだったにもかかわらず、腕、心臓、首の三点を的確《てきかく》に狙い撃ちされ、シャルナーク人形は声もなくその場に倒れた。

「玩具《オモチャ》ごときじゃ、ボクの相手にならないんだけどな♣」

ため息をつくヒソカに、今度はフェイタンとマチの人形が襲いかかった。仕込《しこ》み刃《やいば》と念《ネン》糸《シ》の波状《はじょう》攻撃がヒソカを襲うが、ヒソカはカードを駆使《くし》してそれらを器用にさばく。

「やれやれ……面倒《めんどう》だけど、とりあえずは玩具の相手をするしかないみたいだね……♠」

フェイタンとマチの攻撃をいなしつつ、さらに奥に視線を送るヒソカ。団長《クロロ》の人形が、懐《ふところ》からナイフを取り出したのを見てヒソカは笑みを浮かべた。

「本物と殺《や》り合う前の肩慣《かたな》らしとでも考えておくか♥」

複数の人形を相手に戦い始めたヒソカを横目に、クラピカはオモカゲをめざす。

——ヒソカがいれば、とりあえず人形たちはなんとかなりそうだな……！

クラピカは二階に飛び上がると、その右手の鎖《くさり》をためらうことなくオモカゲへと放った。

「〝束縛する中指の鎖《チェーンジェイル》〟！」

しかし、オモカゲは鎖の軌道を見切り、宙に飛んで回避する。

「知ってるぞ……ウボォーギンを倒した念《ネン》能力だな！」

〝束縛する中指の鎖《チェーンジェイル》〟は、捕らえた相手の念《ネン》能力を強制的に使用不能にする、強力無比《むひ》な能力である。だが、それゆえに能力を知られた相手に使うのは難しい。警戒《けいかい》され、回避されてしまえばどうしようもないのだ。

楽々とクラピカの鎖を回避しつつ、オモカゲが笑みを浮かべる。

「——ならば私も、もう一つの念《ネン》能力を見せてやろう！——〝人形受胎《ドールキャッチャー》〟！」

オモカゲの身体からオーラが放射され、階下でゴンたちと戦っていたフランクリン、フィンクス、ノブナガの人形とリンクする。

三体の人形はそのままオーラによって引き寄せられ、オモカゲの身体と重なり、吸収された。

「人形を取りこんだ⁉」

驚くレオリオを見て、オモカゲはニヤリと笑みを浮かべた。

「元々私のオーラで作り出した人形だからね。取りこむのは容易だ。……そして、いったん人形に変えたオーラを取りこめば、こんなこともできるのだ」

そのまま階下に向け、両手を前に突き出すオモカゲ。両手の指先がはずれ、銃口のような形になる。

「あれは――⁉」

「〝俺の両手は機関銃《ダブルマシンガン》〟！」

指先から、ものすごい勢いで念弾《ネンだん》が発射された。それはまさに、先ほどまで戦っていたフランクリンの念《ネン》能力そのもの。オモカゲの背後には、取りこんだはずのフランクリン人形が具現化され、オモカゲの身体を操っているようにも見える。

「うわっ⁉」

とっさにゴンたちは散開《さんかい》し、念弾《ネンだん》マシンガンの掃射《そうしゃ》をかわす。

「そう！　人形を取りこめば、その念《ネン》能力が使えるのだよ！　人形に私自身の身体を操らせる能力——それが〝人形受胎《ドールキャッチャー》〟だ！」

オモカゲの両手の機関銃《きかんじゅう》はとどまることなく、逃げるゴンたちを追い続けた。

——人形が人形遣いを操るだと……！　何というでたらめな……！

今や大広間に置かれていたドールハウスや壁は、念弾《ネンだん》によってことごとく粉砕《ふんさい》されている。窓ガラスや天井にも穴が開き、そこから月の光が射しこんできていた。

「おのれ！」

中指の鎖を具現化して飛ばすクラピカ。

しかしオモカゲの左手には、今度はいつの間にか刀《かたな》の鞘《さや》が握られており、飛来した〝束縛する中指の鎖《チェーンジェイル》〟を居合い斬《ぎ》りで弾《はじ》き返した。人形遣いの背後には、刀を構えたノブナガの人形が具現化されている。

——ノブナガの技まで……！

念弾《ネンだん》による弾幕《だんまく》がなくなった隙を見計《みはか》らって、階下のゴンとキルア、レオリオがオモカゲに飛びかかる。

「いくぜ！」

「うおおおおお！」

しかし、殴《なぐ》りかかる三人を迎え撃ったのは、念《ネン》をこめた拳と蹴りだった。背後で彼を操るフィンクスに勝るとも劣らない体《たい》さばきだ。

「うわっ……！」

ゴンたちは一蹴《いっしゅう》され、階下へと叩き落とされてしまった。

「うふふ……」

そしてすかさずゴンたちのもとへ、念弾《ネンだん》の機関銃の雨が降りそそぐ。

「うわあああああっ⁉」

——近距離においては格闘戦、離れればマシンガン。そして居合《いあ》いによる防御《ぼうぎょ》……！

三人の人形を取りこんだことで、オモカゲは攻守《こうしゅ》に隙のない能力を得たようだ。あれに立ち向かうのは至難《しなん》の業《わざ》だろう。

——なるほど、奴《やつ》が、便利な人形だと言っていたわけだ。

（いったん態勢を立て直すぞ！）

アイコンタクトを送るクラピカ。

ゴンたちはそれにうなずき返すと、それぞれオモカゲの開けた壁の穴から、一斉《いっせい》に広間の外へと飛び出した。

「はあ……はあ……」

――今はオモカゲから距離を取るのが先決だ。

外に出ると、目の前には月明かりに照らされた一面の荒野が広がっていた。

どうやら館《やかた》の裏手側に出たらしい。

――どうにかしてヤツに鎖を叩きこむ手段を考えないと……。

しかし一息つく暇《ひま》さえない。

「逃がしはしない……。君たちは私のコレクションなのだからね」

余裕の表情で、オモカゲも庭園へと姿を現したのだ。

――闇に紛《まぎ》れれば……！

クラピカは〝隠《イン》〟によって中指の鎖を不可視《ふかし》にし、オモカゲに向けて放った。

――月明かりしかない暗い屋外であれば、死角をつくことも可能なはず……！

しかしクラピカの一撃は、オモカゲの右手の刀によってやすやすと斬り払われてしまった。

「〝隠《イン》〟で鎖を隠しても無駄だ。私も〝凝《ギョウ》〟が使える」

今度は左手を構え、念弾《ネンだん》のマシンガンを乱射する。

「くっ……!?」

「うわあああっ⁉」

なんとか念弾《ネンだん》をかわし、クラピカはゴンたちとともに走る。

——あの岩陰《いわかげ》なら……！

四人で手近な岩陰に走りこみ、隠れる。

この暗闇《くらやみ》だ。〝絶《ゼツ》〟で気配を消せば、しばらくは見つかることもないだろう。

「だが、このままじゃやられちまうぜ……！」

掃射されている機関銃の音がだんだん近くなり、レオリオが額に汗《あせ》を浮かべる。

「勝機があるとすれば私の〝束縛する中指の鎖《チェーンジェイル》〟だけだろう。だが、念《ネン》のマシンガンがあるせいで近づけない……！」

あの多重念《ネン》能力をなんとかしない限り、こちらに勝ち目はない。

クラピカの鎖で念《ネン》能力を封じることさえできれば勝機はあるのだが、いかんせん、その隙を作ることさえ難しそうだ。

攻《せ》めあぐねていたそのとき、背後で、轟音《ごうおん》が鳴り響いた。

「見つけたぞ……！」

念弾《ネンだん》の集中砲火が浴びせられる。

こちらが身を隠していた岩は、いまや射撃を受けて粉々《こなごな》に砕《くだ》かれてしまった。

「その腐った林檎《りんご》のような生涯《しょうがい》を閉じ、私のコレクションとして永遠を生きるのだ！」

「くっ……！」

——ここで念弾《ネンだん》を掃射されたら、殺《や》られる……！

「キルア！」

「ああ！」

ゴンとキルアがとっさにアイコンタクトを交わす。二人の合図を見たクラピカとレオリオは身を翻《ひるがえ》し、後ろへ飛ぶ。

その場に残ったゴンとキルアは、瞬時に腕を胸の前で交差させた防御姿勢を取り、オーラをそこに集中させた。

「うおおおおおおっ！」

〝練《レン》〟によって増大した二人のオーラ。ゴンとキルアは念弾《ネンだん》の勢いを殺して、完全に防ぎきっている。

「ほう……？　覚悟を決めたか。なかなかのオーラだ」

マシンガンが防がれているにもかかわらず、オモカゲは笑みを浮かべている。

「くっ……！」

一方、弾を防いでいるゴンとキルアには余裕は露《つゆ》ほども見えない。

一発一発がコンクリートの壁をうがつほどの威力の弾丸。それを防ぐためには、膨大《ぼうだい》なオーラの量と、それをコントロールする集中力が必要となるのだ。

「はあ……はあっ……！」

一分も経《た》たないうちに、念弾《ネンだん》を防ぐゴンとキルアの表情に、焦燥《しょうそう》が見えはじめてきた。

クラピカの額《ひたい》に冷や汗《あせ》が浮かぶ。躊躇《ちゅうちょ》なく身を盾《たて》にこちらを救ったゴンとキルアの反応には驚かされたが、〝練《レン》〟による防御がそれほど長くは持続しないことは、誰の目にも明らかであった。

——どうする、このままじゃジリ貧だぞ……！

機関銃の相手をゴンとキルアにまかせ、クラピカは〝絶《ゼツ》〟を使って岩陰に退避《たいひ》しながら移動していた。二人のオーラが尽きるまでに反撃の糸口をつかまねば、勝機はない。

「うふふふ……」

必死に弾丸の雨に耐えるゴンとキルアを見て、オモカゲがうっとりとした表情を浮かべている。

「君たちのようにまっすぐな少年の瞳《ひとみ》は実に美しい……。それに敬意を表《ひょう》して、少し本気を出してみることにしよう」

言うなり、オモカゲの両手の機関銃の弾速《だんそく》が、さらに倍加した。秒間、何百発の重い弾丸の嵐が、ゴンとキルアを襲う。

「うわああっ⁉」

「さっきので手加減してたっていうのか……⁉」

全力で持ちこたえていた念《ネン》のガードすら、弾速に押されて貫通《かんつう》されそうになっている。

今一瞬でも気を抜いたら、その瞬間に念弾《ネンだん》で蜂《はち》の巣にされてしまうだろう。

「やれやれ……。私の〝人形受胎《ドールキャッチャー》〟の能力はあくまで模《も》倣品《ほうひん》に過ぎないのだがね。フランクリン本人《オリジナル》の〝俺の両手は機関銃《ダブルマシンガン》〟はこんなものではないよ」

――まずい！　ゴンがもうもたない！

オーラが底を尽きかけているのだろう、ゴンの〝練《レン》〟が弱まり、防御の薄くなった手足に念弾《ネンだん》が容赦なく突き刺さりはじめた。

「ゴン！」

傍《かたわ》らのキルアが、とっさにゴンをかばうように前に出る。

「ふふふ、素晴らしい友情だねキルア。……だがそれでは、君が集中砲火を受けることになってしまうよ？」

オモカゲの言うとおり、ゴンをかばったぶん、それまでの二倍の量の念弾《ネンだん》が、一気にキルアの身体を襲った。

「くっ……！　ああああっ⁉」

さすがのキルアも、あまりの弾幕にオーラの限界量を超えたのだろう。念弾《ネンだん》が〝練《レン》〟による防御を貫通し、勢いで吹き飛ばされてしまう。

「キルアーッッ⁉」

ゴンの悲痛な叫びがこだまする。

キルアはそのまま十メートルほど後方に飛ばされてしまった。

その身体は念弾《ネンだん》の雨をもろに受け、ぴくりとも動かない。身体のあちこちに銃創《じゅうそう》ができており、そこから大量の血液が流れ出ているようだ。

「よくも……！　よくもキルアを……！」

残されたオーラを振りしぼり、オモカゲをにらみつけるゴン。

「ああ、いいね。親友を傷つけられた怒りに燃える眼……！　今すぐ味わいたいくらいに素敵《すてき》だよ……！」

オモカゲはじゅるり、と舌なめずりをする。その念弾《ネンだん》の両手を、今度はゴンに構えた。

「では、次はゴン、君の番だ……！」

そんなゴンの絶体絶命《ぜったいぜつめい》の状況に痺《しび》れをきらしてしまったのか、

「……ちっ、やらせねえ！」

気づかれぬようにオモカゲの背後に回っていたレオリオが、ナイフを構えて飛びかかったのだった。

──ダメだ！　レオリオ！　まだ早い──！

そんなクラピカの心の叫びも空《むな》しく、背後から接近するレオリオの挙動は、オモカゲに完璧《かんぺき》に把握《はあく》されていた。

「ふん、伏兵《ふくへい》か。小癪《こしやく》な真似《まね》を……！」

振り向きざまに、オモカゲはレオリオに向けて強烈なストレートをカウンターで放つ。

ガードすら間に合わず、レオリオの腹部には強烈な一撃が叩きこまれていた。

「うぐっ……」

レオリオの漏《も》らす苦悶の声。

しかし、吹き飛ばされる瞬間、レオリオの目がクラピカを捉えた。

(──今がチャンスだ！　やれ、クラピカ！)

レオリオが身体を張って作った一瞬の好機。

──やるしかない！

いくらオモカゲの反応速度が速かろうが、攻撃の直後ならば即座に反応することはできないはず……！

「〝束縛する中指の鎖《チェーンジェイル》〟！」

クラピカの中指に具現化した鎖が、死角から一直線にオモカゲを襲う。対象を強制的に〝絶《ゼツ》〟に陥《おとし》いれる一撃必殺の鎖が、オモカゲを捉えるかに見えたその刹那《せつな》。

「――〝円《エン》〟」

気づけば、オモカゲを中心に球体のオーラが広がっていた。

鎖の先端が〝円《エン》〟のオーラに触れるや否《いな》や、いつの間にかオモカゲの手に握られていた太刀が、鎖を叩き落としていた。

「なにっ⁉」

「君たちの切り札は〝束縛する中指の鎖《チェーンジェイル》〟のみ。……ならば、誰かを囮《おとり》にしてクラピカが仕掛けてくることは読めていたからね。たとえ死角からの攻撃でも、〝円《エン》〟を使っていれば、鎖を防ぐことなど容易《たやす》い……」

うふふ、と忍び笑いを漏らすオモカゲ。

――こちらの手は読まれていたのか……！

目的は、隠れて移動していたクラピカの位置を燻《いぶ》りだすためだったのだろう。

「さて、王手《チェックメイト》だ。眼を奪われる覚悟はできているかね？」

オモカゲは、その機関銃の両手をクラピカのほうへと向けた。

もはやクラピカに逃げ場はない。

※

一方、ヒソカと二体の人形との戦いも苛烈《かれつ》を極《きわ》めていた。

マチの念糸《ネンシ》に対応しつつ、フェイタンの刃による致命傷を避けつづけるというのは、並の達人《たつじん》でもほとんど不可能な芸当である。事実ヒソカも、肩口を刃で斬りつけられ、顔面にマチの殴打《おうだ》の直撃を食らってしまっている。けっして小さくはないダメージだ。

しかしそれでも、ヒソカの笑みは崩れない。

「二対一なら、もう少し楽しい戦いになると思ったんだけど……♣」

宙に飛んだヒソカ。右からマチの手刀が、左からフェイタンの刃が襲う。

傍目《はため》から見れば、逃げ場のない絶体絶命の状況だ。

だがこの奇術師《きじゅつし》には、そんな状況すらあくびが出るほど退屈だったのである。

「〝伸縮自在の愛《バンジーガム》〟♥」

ゴムのように伸縮《しんしゅく》し、ガムのように貼《は》りつくオーラ。

そのオーラが、二体の人形の眼を欺《あざむ》き、マチの手刀とフェイタンの刃の先にそれぞれこっそりとくくりつけられていたのである。

ヒソカにとって、この仕こみさえ終わってしまえば、あとは簡単なことであった。

オーラを操り、マチの手刀でフェイタンの胸を、フェイタンの刃でマチの胸を貫かせるだけでよかったのだから。

「魂《たましい》が入っていないとこんなもんか……失礼しちゃうね◆」

互いに胸を貫き合い、果てた二体の人形が素体に戻るのを見て、ヒソカは退屈そうにため息をついた。

「残るは君か♠」

ヒソカの眼光が、それまで戦いを眺《なが》めていた団長の人形を捉えた。

その瞬間、クロロが勢いよく床を蹴り、ナイフを構えてヒソカに突進する。

「ふぅん……♣」

クロロが繰り出すナイフの連撃を、紙一重で避けるヒソカ。

ヒソカは、団長の用意周到《よういしゅうとう》さを知っていた。この人形が本物の団長と同程度に用心深ければ、そのベンズナイフの先端には、おそらくこちらを行動不能にする毒が塗られていることだろう。かすっただけでも敗北は必至《ひっし》である。

「でも、その程度でボクを止められるかな?」

だが、ヒソカの攻撃には躊躇《ちゅうちょ》がない。

4
PHANTOM
ROUGE

迫るナイフを軽くいなし、クロロに向けて右拳を突き出したのである。

「!?」

とっさの反応でそれを回避するクロロ。ヒソカの背後に回り、首筋を狙ってナイフを振り上げた。

しかし、

「やはり人形……その程度じゃ本物には及ぶべくもないね♥」

ニヤリと笑うヒソカ。

クロロが突き刺そうとしていたナイフは、ヒソカの肌《はだ》に触れる一寸《いっすん》手前でその動きを止めていた。いや、ナイフだけでなく、人形の身体自体が完全に動作を停止させていたのである。

「ぐはっ」とクロロの口からこぼれ出る鮮血。

その背中には、先ほどマチの胸を貫いたフェイタンの刃が突き刺さっていた。

先ほどヒソカは拳打《けんだ》に見せかけて、刃に付着させていた〝伸縮自在の愛《バンジーガム》〟を操作していたのである。オーラで刃を誘導し、クロロの死角から貫き通したのだ。本物ならいざ知らず、人形程度では〝隠《イン》〟で隠したオーラに気づくことさえできなかっただろう。

「――さて、外の戦いはどうなっているかな?」

倒れたクロロの人形には一瞥《いちべつ》もせずに、ヒソカは踵《きびす》を返した。

※

館の裏手、月下の荒野。

オモカゲが、クラピカに指先の銃口を向けていた。

「ふふふ……絶体絶命でも最後まであがこうとするその瞳……。今の君の眼は最高だよ、クラピカ……」

キルアとレオリオは倒され、ゴンもオーラが尽《つ》き、満身創痍《まんしんそうい》でほぼ戦闘不能。まともに戦えるのはクラピカだけだった。

――どうする……？　何かこの状況を逆転するための手は……！

「だが残念だったたな。これだけの力量差がある以上、君たちにもはや勝ち目はない。……おとなしく敗北を受け入れるがいい。……絶望に染まる眼というのも、それは素敵なものだからね」

ニヤリと笑みを浮かべ、オモカゲが指先に念《ネン》のオーラを集中する。クラピカに向けて、マシンガンの雨が掃射されようとしていた。

――少しの間ならば私も〝練《レン》〟で防御できる……。だがそれでは鎖を打ちこむ機会はなくなってしまう……！

万事休すかと思われたそのとき、

「やめろオモカゲ！　クラピカを撃つなら、お前のたいせつなモノがどうなるかわからないぞ！」

夜の荒野に響いたのは、ゴンの声だった。

「大切なモノ……だと？」

怪訝な目でゴンのほうを見やるオモカゲ。

その視線の先では、ゴンが自分の右手の手刀に残りわずかなオーラをこめて、それをあろうことか、自らの顔の前にあてがっていたのだ。

「そうだ！　オレの眼……！　お前がコレクションにしようとしてる眼だ！　これが一つ・・・・・・・・でも潰れたら困るだろ⁉」

「なっ……⁉」

ゴンの啖呵《たんか》に絶句したのは、オモカゲだけではなくクラピカも同様だった。

「ゴン⁉　何を考えてるんだ⁉　自分の眼を犠牲《ぎせい》にするだなんて、正気の沙汰《さた》じゃ——」

「言ったでしょクラピカ。オレは友達のためだったら眼の一つや二つ何でもないって！」

ゴンの表情はブラフやハッタリなどではなく、どこまでも真剣そのものだった。

だからこそ、それが嘘《うそ》ではないことがオモカゲにも伝わったのだろう。

ここに来て初めて、この人形遣いは明らかな狼狽《ろうばい》を見せていた。

「待て、早まるな。その眼を失うのは双方にとって得ではないだろう……⁉」

クラピカは、仕事上の雇《やと》い主ネオンを見ていて、収集家《コレクター》という連中の神経質さを嫌というほど思い知らされている。彼らは手に入れた自分の宝物《コレクション》に、少しでも傷がつくのを恐れる連中なのだ。

自らの身体を人質にするというゴンの作戦は荒唐無稽《こうとうむけい》ながら、こういう連中にとっては効果てきめんのようだった。

「わかった。ひとまずクラピカは狙わない。だから君も馬鹿《ばか》な真似はやめたまえ、ゴン――」

信じられないことに、オモカゲは、クラピカを狙っていた両腕を下ろした。

――たった一言でこんなふうに状況を一転させるとは……。

その発想もさることながら、自らの眼をためらいなく人質にできるその豪胆《ごうたん》さに、クラピカは驚きを感じずにはいられなかったのである。

しかし、オモカゲは笑みを崩さない。

「――だが、クラピカを狙わないと言っただけだ！　君がこれ以上変な気を起こさないように、今度はその両手両足が動かなくなるまで念弾《ネンだん》で撃ち抜いてやる！」

ゴンに向け、マシンガンを構えなおすオモカゲ。

――まずい！　今のゴンのオーラじゃ、念弾《ネンだん》を防ぎきれない！

焦《あせ》るクラピカだったが、ゴンのほうはけろりとした表情だった。

「やっぱりオレの言葉に動揺したね、オモカゲ」

「なんだと？」

「オレが眼を傷つけるって言ったことで、お前は周りへの注意がおろそかになってたんだよ。……彼女が何をしようとしているか、まったく気づかなかったなんて」

言われてオモカゲがはっと振り向いた視線の先、屋敷の壁に開いた大きな穴のところに、一人の少女がたたずんでいるのが見えた。眼を閉じた少女が抱いていたのは、彼女そっくりの人形――。その腕に抱いた青い目の人形に、短剣を突きつけていたのである。

「レッ……!?　お前……!?」

明らかに動揺した表情で、オモカゲがレッツに向かって叫ぶ。

「それは、お前の眼なんだぞ!?　やめろおおおおおおっ！」

自分のほうへと駆け出してくるオモカゲの叫びを聞いて、レッツが悲しげな笑みを浮かべる。

「たいせつにしてほしかったのは眼じゃなくて、本当の僕の気持ちなんだよ……！」

レッツは、手にした短剣を思いきり振りかぶり、人形の顔を貫《つらぬ》いた。まるでその宝石のような青い眼を、潰《つぶ》してしまうかのように。

「──もう終わりにしよう、兄さん。人形に執《かこ》着して、人を傷つけるのは」

「あっ……！　あああっ……！」

美しかった少女の眼が、その少女本人によって失われるのを見て、オモカゲはその場に膝をつき、天を仰《あお》いだ。

「馬鹿な……！　私に忠実なはずのレッツが、なぜこんなことを……！」

「精神の支配を脱するほどの強い想いが、彼女にあったからだろう」

うなだれる人形遣いを、クラピカが冷酷《れいこく》なまなざしで見下ろしていた。

「──貴様の凶行《きょうこう》を止めたいと、強く願ってくれた人間がいたということだよ、オモカゲ。誰もがお前の操り人形じゃない。……パイロのようにな」

吐き捨てるように言うクラピカ。

次の瞬間、クラピカの中指に具現化した鎖が、茫然《ぼうぜん》と立ちすくむ人形遣いをがんじがらめに捕らえていた。

「この能力は旅団《クモ》にしか使わないと決めた。……だが貴様がクルタ族襲撃《しゅうげき》に加わり、今もまだ蜘蛛《くも》の刺青《タトゥー》を持っているのなら、貴様も旅団《クモ》とみなす」

執心《こころ》を折られたオモカゲには、もうその鎖を避けることすらできなかったのである。

※

「いてて……。くそ～、傷だらけじゃねえか」

「だいじょうぶか、キルア？」

「ああ、サンキュ、レオリオ」

レオリオの持っていた治療道具のおかげで、キルアの応急処置が完了した。

あちこち銃創は多いものの、致命傷は一つもなかったようだ。オモカゲは眼を奪うために、あえて手加減していたのかもしれない。

「――でも、頭くるな－。こんな奴相手にぜんぜん手も足も出なかったなんて」

キルアが、地面に座らされたオモカゲをにらみつける。

今のオモカゲはクラピカの〝束縛する中指の鎖《チェーンジェイル》〟に巻かれ、念《ネン》を使うことも身動きをすることもできなくなっている。

それを遠巻きに見つめるように、レツが神妙《しんみょう》な表情で建物の壁にもたれかかってたたずんでいた。オモカゲ本体の念《ネン》が封じられても、レツは関係なく行動できるようだ。以前に彼から分け与えられたオーラは、すでに本体とは独立しているのだろう。

クラピカは、冷たい目で人形遣いを見下ろしていた。

「〝律する小指の鎖《ジャッジメントチェーン》〟」

クラピカの小指に具現化されたのは、楔《くさび》形の鎖。

「お前に条件を出す。それを守れば解放してやる」

「……守らなければ？」

クラピカをにらみつけるように問うオモカゲ。

「この鎖が貴様の心臓を握りつぶす」

一切の慈悲《じひ》もなく、クラピカは敵に対してそう告げる。同胞の命を奪った人間に、同情する余地《よち》などない。

理不尽《りふじん》な二択《たく》を突きつけられたときに、たいていの人間は〝怒り〟か〝戸惑《とまど》い〟のどちらかの反応を見せる。しかし、この目の前の男はそのどちらでもなく、〝笑い〟で応えた。

「ククク……」

「何がおかしい？」

覗《のぞ》きこんだクラピカに、オモカゲが不気味な笑みで応えた。

「お前たちにはなぜ私の人形の素晴らしさがわからんのだ……？　永遠の命とともに、お前の美しい眼が生きつづけられるのだぞ？　素晴らしいとは思わないのか？」

「パイロはそんなことは望んでいなかった……！　貴様に歪《ゆが》められた望みを押しつけられただけだ！」

クラピカの叫びに、ゴンもうなずく。

「そうだ！　結局お前は自分の欲望のためだけにレツを苦しめつづけているんだ！　人形として無理やり生かされてるレツが、可哀相《かわいそう》だと思わないのか⁉」

「レツを苦しめているだと……？」

妹の名前を出され、人形遣いは眉をひそめた。

「レツは誰の眼も欲しがってなんかいない！」

「黙れ！　黙れ！　……貴様たちに何がわかる！」

激昂するオモカゲを見て、クラピカがため息をつく。

──私たちが何を言っても、この男の妄念《もうねん》には届かないのだろう。

「もういい、オモカゲ。今後、念《ネン》能力の使用をいっさい禁じる」

「ではもう人形は作れないと……？」

「それでいいかどうか、お前が決めろ」

「ククク……人形を作れない私など、死んだも同じ……。たとえ私が死んでも人形たちは生きつづけ、貴様たちを殺すだろう――」

はあはあと息荒く、オモカゲが言葉を紡《つむ》ぐ。それはまるで生きている人間すべてを呪《のろ》うかのような口調だった。

「――つまり答えは〝NO〟だ……！」

「なら死ね」

クラピカは容赦なく、その小指の楔《くさび》をオモカゲの心臓に向けたのだが、

「……手を汚すのはオレだけでいい」

それより早くキルアが動き、オモカゲの背後を取っていた。左手で男の口を押さえ、右手を首に当てている。爪《つめ》や指を異形《いぎょう》に変化させた、魔手《ましゅ》の手刀だ。

「――クラピカはこれ以上人を殺しちゃだめだ」

「ダメだ！　これは私の復讐《ふくしゅう》……！　それに私のためにキルアが人を殺すなど――」

叫ぶクラピカを遮《さえぎ》るように、冷たく笑うキルア。

「オレが仲間にしてやれることは、これくらいだから」

そう言って、魔の右手にオーラをこめる。

「キルア⁉」

ゴンが叫んでも、キルアの手刀は止められない――。

オモカゲの最期《さいご》に、ゴンたちは目を背《そむ》ける。

そして荒野に響きわたるオモカゲの断末魔《だんまつま》の叫び。

しかしそれは、キルアが手を下したものではなかった。

見れば、キルアの手刀より一瞬早く、オモカゲの背中側には、ひと振りの短剣が突き刺さっていたのである。

先ほど、少女が青い目の人形を貫いた大道芸《だいどうげい》用の短剣が、オモカゲの鮮血を浴びて赤く染まっていたのだ。

「——兄さんを止めるのは、僕の役目なんだ、キルア」

「レツ!?」

柄《つか》を握り、噴《ふ》き出るオモカゲの鮮血を浴びているのは、眼を閉じた一人の少女。

「レツ……？　な、なぜ私を……？」

人形遣いもまた、わけがわからない、という表情で自分の生み出した人形を見やる。

「僕が生きていたら、きっとこうしていたから……」

寂《さび》しそうに応えるレツ。

「もう、兄さんが誰かを傷つける姿は見たくないんだよ……。兄さんは『神の人形師』なんかじゃない。ただ純粋に人形作りが好きな、あの頃の兄さんでいてほしかった。だから僕の手で、止めなきゃと思ったんだ」

オモカゲに寄り添うように、レツは背中から腕を回す。

彼女の悲しげな表情に、ゴンはかける言葉が見つからないようだった。

「……それが僕の〝本当〟。無理やり命令されていることじゃない、〝本当〟の気持ちなんだ」

にこり、とゴンに微笑み返すレツ。

そんな彼女のようすを見ながら、オモカゲは息も絶え絶えに笑みを浮かべた。

「ククク……本人の心まで写しとったのが仇《あだ》になったか……飼い犬に手を噛《か》まれるというのはまさにこのことだな」

「まだわからないのか……！　飼い犬なんかじゃない。レツはレツだ……！　一人の人間として、お前を止めたかったんだよ」

とゴンがオモカゲをにらみつける。

「止めたかった、か……。レツ、いつから……お前は私を裏切ろうとしていたんだ……？」

血を吐くのをこらえつつ、オモカゲが口を開いた。

「最初から……。人形として蘇らされてから、ずっと兄さんを止めたいと思ってたんだ。でも、僕一人じゃそれはできなかった……」

ちら、とゴンやキルアを見るレッ。

「——でも、ようやく止められてよかった……。これ以上、僕みたいな人形を作ってほしくなかったから」

オモカゲは血の塊《かたまり》を吐き捨てると、「ふん」と鼻を鳴らした。

自分がレッに裏切られていたと思っているのだろう。それは自虐《じぎゃく》的な笑みを浮かべているようにも見えた。

「違うよ、オモカゲ。レッは人形にされた恨《うら》みでお前を裏切ったわけじゃない。かつては優しい兄だったお前のことを、心から止めたかっただけなんだ」

ゴンの言っていることはおそらく正しい。

——人の執心を見抜き操ったこの男でも、身近な少女の純粋な心までは見抜けなかったということか。

そんなクラピカの内心の皮肉を見透《みす》かしたように、人形遣いはニヤリと笑みを浮かべ、瞼《まぶた》をゆっくりと閉じた。

雲間《くもま》から射しこむ月の光が、崩れ落ちたオモカゲを照らす。倒れたその身体を支えるように、レッは背後からぎゅっと抱きしめていた。

兄を想う妹の優しさは、人形遣いの壊れた心に届いたのだろうか。

動かなくなった兄に寄りそうレツの姿を、クラピカたちはじっと無言で見つめていた。

肌を刺す冷たい夜の風に、誰も身じろぎ一つせずに。

※

――終わった、か……。

オモカゲを倒すことができたクラピカだったが、その内心は複雑なものだった。

自分の手でパイロを侮辱《ぶじょく》した仇《かたき》を殺せなかったという後悔。仲間たちの誰も欠けずに事態が解決したことへの安心感。

――かつての同胞も今の仲間たちも、私にとってはどちらもかけがえのないものなんだ……。

「ま、これで一件落着だな。あとは美味《うま》いもんでも食って……」

と、レオリオが帰ろうとしたそのとき、

「――このままでは終わらせない……！」

レツの腕の中で倒れていたオモカゲの眼が突然かっと見開き、大声で叫びだしたのだ。

「人形たちよ！　腐ったドブ川のように生きる人間どもに、死を！」

突然、死体だったはずのオモカゲの身体から、どす黒いオーラが膨《ふく》らみ、周囲に放たれた。

「きゃっ……!?」

レツが背後に吹き飛ばされ、屋敷の壁に背中を打ちつける。

「な、なんだ!?　生きてやがったのか!?」

レオリオがひざまずき、動かなくなったオモカゲの脈《みゃく》や瞳孔《どうこう》を確認する。

「いや、死んでる……。最後の悪あがきってヤツか……?」

「いったい何で――?」

一行が疑問を覚えたその瞬間。

「これは――!?」

倒れたオモカゲの身体から出てきたのは、人間の形をした三つのオーラだった。

フランクリン、フィンクス、ノブナガ。闇の眼をした人形たちだ。

「あいつらの人形か!?」

オモカゲに取りこまれていた旅団《クモ》の人形が、解き放たれたかのように動き出したのである。

「どういうことだ!　オモカゲは死んだはずだろ!?」

あわてるレオリオにクラピカが言う。

「術者が死んでも念《ネン》は消えるわけではない。深い恨みを持って術者が死ねば、残された念《ネン》はより強くなって憎悪《ぞうお》の対象に襲いかかることもあるんだ……！」

「ってことはこいつら、さっきよりも強くなってるってことかよ！」

クラピカたちに、フィンクスの人形が飛びかかってくる。

「くっ……！」

――こちらは満身創痍、しかもこんな不意討ちのような形で戦えるのか……⁉

なんとかクラピカが念《ネン》のオーラをまとおうとしたその刹那、

「〝廻天《リッパー・サイクロトロン》〟！」

横合いから強烈なパンチが浴びせられ、フィンクスの人形が一撃で粉砕される。

「なんだ？　オレのニセモノのくせにぜんぜん弱っちいじゃねえか」

そこに現れたのは、姿形のまったく同じ、もう一人のフィンクスだった。

「⁉」

驚くクラピカたちの耳に、今度は念弾《ネンだん》のマシンガンが掃射される音が聞こえてくる。

「どうせ人形だ。本物には敵《かな》うはずもねえだろうよ」

念弾《ネンだん》でフランクリンの人形を蜂《はち》の巣にしているのは、やはりもう一人のフランクリン。

「このノブナガ、ぜんぜん手ごたえないなあ。……本物とは本気《マジ》でやったことないからわかんないけど」

掃除機《デメちゃん》を振りまわし、ノブナガの人形の頭をザクロのように粉砕したのは、シズクだ。

「おいこらシズク。そりゃどういう意味だ？」

振り向くと、そこにはノブナガの姿があった。

それだけではない。フェイタン、マチ、シャルナークも一緒だ。

「ワタシたち一足遅かたね。オモカゲ、もう死んでるよ」

「あの子たちにつけた念糸《ネンシ》たどるのに、時間かかったからかもね」

「わざわざオモカゲを始末《しまつ》しにこんな田舎《いなか》まで来たのになあ。無駄足だったね」

ヨークシンシティ以来の、旅団《クモ》のメンバーたち。

全員、ちゃんと眼があるあたり、どうやら、オモカゲの作った人形というわけではなさそうだった。

「まさか……本物⁉」

クラピカたちの前に現れたのは、本物の幻影旅団。そのうちの何人かは、クラピカを視《し》認《にん》すると顔色を変えた。

「お前……鎖野郎……！」

とっさに右手に鎖を具現化したクラピカを見て、フィンクス、フェイタン、ノブナガが有無《うむ》を言わさず飛びかかってきた。

「てめえを殺るのは！」

「ワタシたちね！」

「ウボォーの仇《かたき》！」

今にもクラピカに刃が届きそうになった瞬間。

「これは……！」

彼らの足を止めたのは地面に突き刺さったトランプだった。

「ずいぶん楽しそうなことしてるじゃない◆　ボクも混《ま》ぜてよ♥」

中で人形たちを始末したのだろう。屋敷の上から、物足りないといった表情のヒソカが舌なめずりをしながら旅団《クモ》のメンバーを見下ろしていた。

「てめえ、ヒソカ……！　どの面《つら》下げて現れやがった……⁉」

ニヤニヤと笑みを浮かべるヒソカを見て、フィンクスが怒りをあらわにする。

対立する三者。まさに一触即発《いっしょくそくはつ》の状況。

それを打ち破ったのは、凛《りん》としたマチの声だった。

「よしな！」

その声に、場の全員が動きを止める。

続けて、シャルナークが言う。

「オレたちの目的は、ウボォーを侮辱したオモカゲへの復讐だろ？　もう目的は達した。ここで争っても一文《いちもん》の得にもならないよ」

「それに、ここで鎖野郎を殺せば、団長の心臓に巻かれた鎖はより強固になっちまう」

と、フランクリンがため息をつく。

「フィンクスたちも知ってるんでしょ」

シズクに言われ、フィンクスやフェイタンも舌打ちして引き下がった。

「ちっ……そりゃそうだけどよ」

しかし、クラピカにはここで場を収めるつもりは毛頭《もうとう》なかった。ヨークシンで仕留《しと》めそこなった同胞たちの仇《かたき》が、今こうして眼前にそろっているのだから。

深い緋色の眼で彼らをにらみつけるクラピカ。

「勝手なことを……。私は貴様たちを野放しには——」

啖呵を切ろうとしたのだが、そこで強い目眩《めまい》に襲われる。

「く……うっ……！」

焦点《しょうてん》が定まらない。ふらつきながら、地面に膝をついてしまった。

「クラピカ⁉」

レオリオに支えられ、やっとのことで踏みとどまる。

「念《ネン》を使いすぎたんだ」

と、キルア。

確かに、病《や》みあがりの状態で念《ネン》を酷使《こくし》しすぎたのかもしれない。

——くそっ！　みすみす旅団《クモ》を見逃すしかないのか……！

まともに立っていられないクラピカを見て、ノブナガが、ふん、と鼻を鳴らした。

「おめえとはいずれ、きっちりカタをつけてやる」

「そのときは地獄以上の苦しみを味合わせてやるからな」

「覚えとくね」

フィンクスとフェイタンも、そんな捨て台詞を吐きながら去って行った。

「ヒソカ、おめえもだ」

「光栄だね♥」

シャルナークの言うとおり、幻影旅団の目的はオモカゲだけだったのだろう。

オモカゲの死亡を確認した彼らは、そのまま闇の中へと消えて行く。最後にノブナガが、ゴンとキルアのほうを何か言いたげに一瞥《いちべつ》したが、結局何も言わずに立ち去ってしまった。

「…………」

気づけば、ヒソカの姿もなくなっていた。また新たな強敵を求めて、どこかへ行ったのだろうか。

「これで危難《きなん》は去った、か……」

と、ため息をつくクラピカ。どっと身体に疲れを感じる。やはり、無理がたたったのだろう。

「――ところで、あの屋敷どうする?」

キルアが、背後の洋館を指しながら口を開いた。

「中には人形たちがいっぱいいるはずだぜ」

オモカゲが死んでも、彼の念《ネン》能力で作りだされた人形は消えることはない。

誰かの執心によって作りだされた、悲しい人形たち――。

彼らがパイロと同じような苦しみを持っているというのなら、眠らせてやらねばなるまい。

そのとき。

「あっ⁉」

声を上げたゴンの視線の先には、火のついた燭台《しょくだい》を持った少女――レツの姿があった。

屋敷へと通じる穴の前で、彼女は悲しげな表情を浮かべている。

「兄さんと一緒に還《かえ》るよ。思い出の中に」

眼を閉じたまま、少女はそう告げた。

「ゴン、キルア、ありがとう。二人のおかげで、僕はやっと〝本当〟を生きられる」

「〝本当〟って——?」

疑問符を浮かべるキルアに微笑みを残し、レツは館の中へと姿を消す。

「レツ⁉」

キルアが弾《はじ》かれたように飛び出すが、その腕をゴンが引きとめる。

次の瞬間、洋館から、勢いよく火の手があがった。

「⁉」

瞬《また》く間に炎は燃え広がり、屋敷全体が業火《ごうか》に包まれる。

それはまるで、地獄の炎。オモカゲに奪われた心や瞳が、怨嗟《えんさ》の声を上げているようだった。

※

炎に包まれる屋敷の中で、レツは小さな人形を抱いていた。

「こうして消えていくのが、僕の〝本当〟——」

オモカゲによって作りだされ、彼の命令に従うしかなかった人形《ニセモノ》の人生。

兄が自分のために命を与えてくれようとした気持ちは、少しだけわかるけれど。

それでも本来、死者である自分はこの世界にいてはいけないのだ。

レツは、腕の中で壊れた人形をぎゅっと抱きしめた。

自分と同じ顔をした人形だ。その顔に、青い眼はすでにない。

「でも、悲しくなんてないよ。……彼らに会えたから」

決してほどけない深い絆で結ばれた少年たち。

どんなに敵が強大でも、決して諦《あきら》めなかった強い心の持ち主。

そんな彼らに会えたからこそ、レツは〝本当〟を生きる勇気を持てたのだ。

激しい火炎と爆発に包まれ、崩壊《ほうかい》していく屋敷。

多くの人形が灰になって消えていく中、最後までその人形から微笑みが消えることはなかった——。

※

爆発し、崩壊していく館を無言で見つめるキルア。

本当に自分は、レツを行かせてよかったんだろうか――。

そんな内心を見透かすように、レオリオがつぶやく。

「これで良かったんだよ。思い出は自分の胸の中にだけしまっておきゃいい……」

そんなレオリオの言葉に、キルアはうなずく。

自分の心の中から他人に無理やり人形《おもいで》を引きだされる辛《つら》さは、今回のことで骨身《ほねみ》に染《し》みていたのだから。

「……〝本当〟を生きる……か……」

突然、クラピカがつぶやいた。

「〝本当〟ってなんだろうね？」

と、尋《たず》ねるゴン。

「自分らしく生きるってことじゃねえのか？」

「そっか……。レオリオには医者になるって目標があるもんね」

レオリオの答えに、納得したようにうなずくゴン。

「……私は同胞たちの眼を探す。すべてはそれからだ」

「オレは親父《おやじ》に会う」

仲間たちが〝本当〟を生きることについて語る中、キルアは一人疎外感《そがいかん》を感じていた。

——オレは、なんもねえ……。

ただ家業を継ぐのが嫌で、家を飛び出したままここに至《いた》ったのだ。

やりたいことや目標なんてない。ただ一つあるとすれば——。

「キルアはオレのそばにいてよ」

「え？」

気づけば、ゴンが笑顔を向けていた。

「オレ、キルアと一緒がいいんだ」

明るいその声に、何だか救われたような気分になる。

「しょうがねえな……」

ゴンにそっぽを向きながら、そうつぶやくキルア。

——今はゴンのそばに……。そのうち始まるよ、オレの〝本当〟も……。


地平線から射《さ》す朝日が、彼らを照らした。

エピローグ

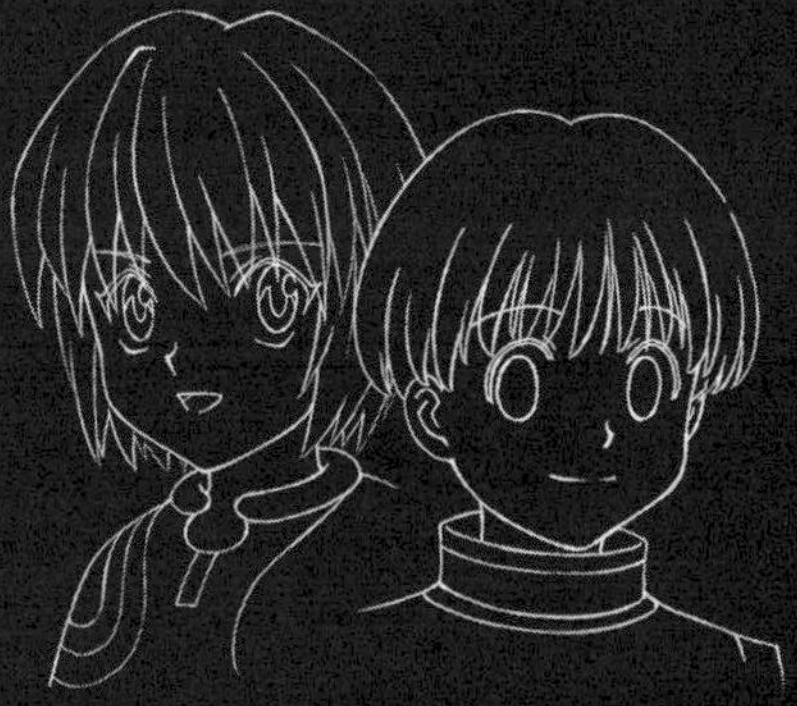

『――ヨークシン行きにご搭乗《とうじょう》の方は三番ゲートへ、カキン国行きへご搭乗の方は六番ゲートへお向かいください――』

シャンハシティ空港は、旅人でごった返していた。新天地へ旅立つ者、故郷へ帰る者、様々な出会いと別れの光景が繰り広げられている。

「ゴン、キルア、レオリオ、あらためて礼を言う。世話になったな」

旅支度《たびじたく》を整えたクラピカが、他の三人を見渡して言った。

「水くせえこと言ってんじゃねえ。当然のことをしたまでだぜ！」

とレオリオ。

「これからも困ったときは呼べばいいさ」

「オレたち、友達だもんね！」

キルアとゴンも、頼りがいのある表情でうなずく。

そんな仲間たちを見て、クラピカは微笑《ほほえ》んだ。

「……ありがとう」

それは、クラピカが初めて見せる、屈託《くったく》のない笑顔。

「じゃ、いつかまた！」

四人は拳《こぶし》を突き合わせ、別々の方向へと踵《きびす》を返した。それぞれの戦いの場所へと、友情を胸に抱きながら。

※

こうして、クラピカとその親友の数年ぶりの邂逅《かいこう》は幕を閉じた。


クラピカは思う。

もし本当にあいつが――パイロが生きていたら、今の自分を見てなんと言うだろうか。

笑うだろうか、困った顔をするだろうか。それとも復讐《ふくしゅう》なんてやめろと、怒り出すだろうか――。

だが、パイロの言葉がどんなものであっても、彼との約束――〝楽しかった？〟という台詞《せりふ》に答える言葉は、クラピカの中ですでに決まっていた。

あのとき、人形のパイロに言ったように、こう答えるだろう。

〝うん〟と。
素晴らしい仲間たちに出会えて、楽しい冒険ができた、と。

劇場版

HUNTER《ハンター》×HUNTER《ハンター》

緋色の幻影《ファントム・ルージュ》

■初出
劇場版 HUNTER × HUNTER 緋色の幻影　書き下ろし

この作品は、2013年1月公開劇場用アニメーション
『劇場版 HUNTER × HUNTER 緋色の幻影』
（脚本・米村正二）をノベライズしたものです。

[劇場版 HUNTER × HUNTER] 緋色の幻影《ファントム・ルージュ》

2013年1月20日　第1刷発行
2024年8月14日　第9刷発行

著　者／冨樫義博 ◉ 田中 創

編　集／株式会社 集英社インターナショナル
〒101-8050　東京都千代田区一ツ橋2-5-10
TEL　03-5211-2632(代)

装　丁／川島弘行＋根子敬生［テラエンジン］

編集協力／谷口明弘［由木デザイン］

発行者／瓶子吉久

発行所／株式会社 集英社
〒101-8050　東京都千代田区一ツ橋2-5-10
TEL　03-3230-6297（編集部）03-3230-6393（販売部・書店専用）
03-3230-6080（読者係）

印刷所／中央精版印刷株式会社

Printed in Japan　ISBN978-4-08-703287-1　C0093